Цветочное алиби
Золото фамильного склепа
Казино «Пляшущий бегемот»
Миллион под брачным ложем
Фанат Казановы
Когда соблазняет женщина
Рай на пять звезд
Секреты бабушки Ванги
Гетера с лимонами
Любовник от бога
Наследница английских лордов
Третья степень близости
Миланский тур на двоих
Стучат — закройте дверь!
Берегись свекрови!
Перед смертью не накрасишься
Челюсти судьбы
Дай! Дай! Дай!
Полюблю и отравлю
Три принца для Золушки
Умри богатым!
Ночь любви в противогазе
Дудочка альфонса
Шито-крыто!
Киллер на диете
Бабы Али-бабы
Королевские цацки
Теща-привидение
Почему мужчины врут
Русалочка в шампанском
Амазонки под черными парусами
Верхом на птице счастья
Волшебный яд любви
Приворот от ворот
Рука, сердце и кошелек
Алмаз в декольте
Игры любвеобильных фей
Рай в неглиже
Царевна золотой горы
Колючки на брачной постели

Поцелуй вверх тормашками
Поваренная книга вуду
Двойная жизнь волшебницы
Босиком по стразам
Развод за одну ночь
На шпильках по джунглям
Жертвы веселой вдовушки
Дело гангстера боится
Гарем шоколадного зайки
Любовь до хрустального гроба
Сердце красавицы склонно к измене
Властелин брачных колец
Огонь, вода и медные гроши
Без штанов — но в шляпе
Обещать — не значит жениться
Знойная женщина — мечта буржуя
К колдунье не ходи
Хозяйка праздника жизни
Затащи меня в Эдем
На стрелку с ангелами
Последняя ночь под звездами
Папа Карло из Монте-Карло
Клад Царя Гороха
Готовь завещание летом
С царского плеча
Свет в конце Бродвея
Бриллианты в шоколаде
Музей идеальных фигур
Рожки и длинные ножки
Шахматы на раздевание
Остров в море наслаждений
Солярий для Снежной королевы
Полуночный танец кентавров
Смех и смертный грех
Принц на белом пони
Танго на собственных граблях
Беспредел в благородном семействе
Свекровь для Белоснежки
Конфуз в небесной канцелярии

Дарья Калинина

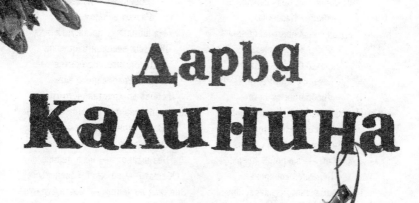

Витязь без шкуры

Москва Э 2015

УДК 821.161.1-312.4
ББК 84(2Рос=Рус)6-44
К17

Оформление серии *С. Прохоровой*

Калинина, Дарья Александровна.
К17   Витязь без шкуры : [роман] / Дарья Калинина. —
Москва : Издательство «Э», 2015. — 320 с. — (Детек-
тив-приключение Д. Калининой).

ISBN 978-5-699-83774-8

Кошмар начался в воскресенье утром, вернее, вечером в субботу, когда мужей Киры и Леси — Лисицу и Эдика — срочно вызвали на службу. И больше о них не было ни слуху ни духу. Мало
того, их непосредственный начальник, генерал, тоже исчез прошлым вечером и до сих пор не дал о себе знать. Подруги очень
тревожились о своих любимых. Окольными путями узнав, что Лисица и Эдик провели ночь в клубе «Три корочки», подруги отправились туда. Там выяснилось, что их мужья покинули заведение
под утро с двумя девушками. Адрес одной из них, Анжелы, подругам удалось раздобыть. То, что поведала им Анжела, повергло Киру и Лесю в шок. А дальнейшие события показали, что Лисице и
Эдику грозит смертельная опасность...

УДК 821.161.1-312.4
ББК 84(2Рос=Рус)6-44

Глава 1

Жить весело, не задумываясь, жить без проблем — таково было жизненное кредо Анжелы. Все, что вызывало хоть сколько-нибудь серьезные эмоции, пугало ее, словно огонь. Сильные чувства казались Анжеле опасными, непредсказуемыми да и ведущими к еще более непредсказуемым последствиям.

Ее любимая поговорка была такова:

— Идти по жизни надо легко!

И Анжела шла, ступая по жизни с максимальной легкостью. Ни один ее роман не тянулся дольше двух месяцев. Два месяца — это был рекорд, поставленный ею всего лишь однажды, да и то исключительно по причине деревенской скуки и полного отсутствия каких-либо других кавалеров на много километров вокруг. Но про ту историю давнишнюю Анжела вспоминать не любила. Два месяца — это все-таки слишком долго, она успела сильно устать и к тому же начала ловить себя на мысли о том, что, возможно, это и есть ее судьба. Ведь если они протянули вместе два месяца, может, протянут и дольше?

А такие мысли были уже опасны, потому что плавно подводили Анжелу к другой мысли — к мысли о браке. А замуж ей категорически не хотелось. Ни тогда, ни теперь. И когда ее спрашивали об этом, она восклицала:

— Что же тут непонятного? Ведь один муж — это так отвратительно и невыносимо скучно!

Кто-то счел бы Анжелу ветреной, кто-то — слегка с приветом, а кто-то назвал бы и вовсе сумасшедшей. У женщин в возрасте, давно ставших чьими-то женами, матерями или даже бабушками, просто в голове не укладывалось, как это можно — не желать семейной стабильности, не желать свить собственное гнездо, высидеть в нем выводок птенцов, увидеть продолжение своего рода.

Но Анжелу такие вопросы не волновали. И самой себе она казалась такой очаровательной, такой обворожительной, такой ослепительно прекрасной, что отдать себя кому-то одному... Нет, на это она не могла решиться!

— Выйти замуж за кого-нибудь одного будет ужасно несправедливо по отношению к другим мужчинам. Ведь все они хотят и любят меня! Если я предпочту кого-то одного, каково придется остальным? Я не могу их так чудовищно огорчить. Да что там, я знаю некоторых, кого мое замужество просто убьет!

Но это были лишь слова. Замуж не хотела сама Анжела. Ну вот не хотела и все тут. Впрочем, порой она делала над собой усилие и в угоду своим тетушкам рассматривала того или иного кандидата. Но стоило ей представить, как они с ним обмениваются кольцами, ведут совместное хозяйство, из ночи в ночь делят вместе постель, как по спине Анжелы бежала противная дрожь, на душе делалось тошно и муторно, а жизнь переставала играть своими красками.

И лишь после того, как она решительно произносила:

— Извините, нет! — жизнь вновь становилась прекрасной, а Анжела испытывала такое облегчение, словно скинула с себя тяжкий груз.

— Ну ничего, — судачили между собой тетушки. — Подождем. Небось, когда-нибудь нагуляется, все подружки замуж повыскакивают, тогда и нашей туда же захочется.

Но годы шли, а Анжелу по-прежнему пугала одна только мысль о более или менее серьезных отношениях. И потому Анжела изо всех сил старалась не допускать подобного развития сценария. Как назло, мужчины ей попадались сплошь такие, кто был заинтересован как раз в серьезных или по крайней мере длительных и стабильных отношениях. Слова Анжелы наутро о том, что они больше не увидятся, все мужчины воспринимали как своего рода кокетство любовницы. И почти каждый тут же кидался доказывать Анжеле, что он и есть тот самый, с которым ей предстоит провести всю жизнь, катаясь, словно сыр в масле.

Подруги Анжеле по этому поводу страшно завидовали.

— И как это у тебя получается? — допытывались они. — Мы изо всех сил пытаемся удержать возле себя мужиков, все для них делаем, а они все равно от нас сбегают. А ты им говоришь, что ничего серьезного у вас не будет, но они крутятся вокруг тебя, словно ты медом намазана.

— Такова уж доля всех красавиц! — шутила в ответ Анжела. — Некоторые из нас слишком привлекательны, иной раз себе во вред.

В действительности Анжела себя такой уж красавицей-раскрасавицей отнюдь не считала. Она была миловидна, умела быть очаровательной и веселой, но никакой особой красотой не блистала. И все же мужчины находили ее обворожительной, лучшей из всех. Впрочем, и сама Анжела тоже так считала. И внешняя красота тут не имела никакого значения. Когда-то давно Анжела сама для себя раз и навсегда постановила, что она лучше всех на свете, просто потому, что она — это она. И с тех пор девушка твердо придерживалась этой точки зрения и зорко следила, чтобы и другие с правильного пути не сбивались.

— Неужели тебе всерьез никто из твоих поклонников не нравится?

— Они нравятся мне все. Вот в чем проблема. Я не могу выбрать из них кого-то одного. Ведь я слишком хороша для кого-то одного.

И все равно подруги не понимали, как у Анжелы получается иметь стольких прекрасных мужчин разом.

— Ты и готовить толком не умеешь.

— Я — не вы! — смеялась Анжела. — Круассаны с шоколадом или рыбу в винном соусе не готовлю.

В еде Анжела также предпочитала легкость, а потому в лучшем случае питалась домашними салатиками. Помидор, огурчик, листья салата и рукколы, все залить оливковым маслом, капля лимонного сока. Ну, или бутербродиками, которые тоже очень любила за их непритязательность и простоту приготовления.

И даже здесь Анжела шла по пути наименьшей затраты сил. Если ее подруги старательно сооружали для своих любимых многоэтажные конструкции: поджаренный хлеб, сложная композиционная пропитка, салатный лист, колбаса, сыр, зелень, порезанный аккуратными кружочками спелый помидор, продольные пластинки маринованного огурца и черт-те что еще, чего и не разобрать, то Анжела ограничивалась просто хлебом и небрежно пришлепнутым сверху куском копченой колбасы.

И каждого из своих мужчин Анжела ставила перед фактом:

— Готовить не умею и учиться не собираюсь. Любишь борщ — иди в другое место или готовь его сам.

И что бы вы думали? Готовили как миленькие. И сами изобретали какие-то необычные блюда и настаивали, чтобы Анжелочка их попробовала.

— Как тебе это удается? — опять поражались подруги. — Нас бы уже давно бросили.

— Вот в этом и проблема. Вы боитесь, что вас бросят. А я — нет. Мужики это чувствуют.

— И что?

— Я даже хочу, чтобы мои нынешние куда-нибудь все свалили, я бы нашла на их место других, посвежее.

— Ну и что?

— А так как вреднючесть у всех мужиков прямо в крови, они заражаются ею еще в утробе, то они чисто из духа противоречия меня и не бросают.

— Чтобы тебе досадить?

— Во-во. Исключительно поэтому.

Конечно, не только поэтому возле Анжелы всегда крутилось множество кавалеров. Мужчин привлекала ее легкость, которую Анжела щедро демонстрировала. Среди ее мужчин встречалось не так уж много умников, способных сообразить, что делать предложение руки и сердца девушке, которая вовсе не может надолго сосредоточиться на одном предмете, не такая уж хорошая мысль.

Но мужчины, когда дело доходит до чувств, как известно, не думают головой... Ум им в этом случае без надобности. Никто из кавалеров Анжелы его не использовал, и наверное, в этом и была главная прелесть отношений с этой девушкой.

— Мужчины со мной отдыхают. Им не надо казаться умными или сильными. Мы просто вместе. Но если говорить честно, то почему в итоге они не хотят от меня уходить, я и сама толком не понимаю.

Как бы там ни было, Анжела умела использовать свои связи себе на пользу. Если уж мужчинам так хочется быть с ней, пусть раскошеливаются. Нет, денег со своих кавалеров Анжела не требовала, она четко понимала грань, которую не следует переступать. Она брала услугами.

Один из ее любовников пристроил ее на хорошо оплачиваемое место, где за ту же работу, что Анжела делала раньше, теперь ей платили в два раза больше. Другой отдал свою старую машину. Не такую уж старую, просто по сравнению с совсем новой машина казалась старой. Третий кавалер предоставил гараж в безвозмездное пользование.

Кто-нибудь неизменно и постоянно снабжал Анжелу всевозможными домашними заготовками, которые в огромных количествах крутили его мама, бабушка или тетя. Кто-то возил девушку отдыхать к морю, кто-то оплачивал прочие ее развлечения. Кто-то лечил ей зубы, исправлял прикус, кто-то делал массаж, кто-то, кто-то, кто-то...

В общем, Анжела была своей жизнью довольна. Она порхала с цветка на цветок, совсем не задумываясь о том, что там — в будущем. Даже если такие мысли ей в голову и закрадывались, она их гнала прочь.

— Я всегда буду молодой! — радостно восклицала она. — Всегда-всегда!

И зеркало радостно подтверждало ее правоту. В свои тридцать два Анжела выглядела от силы на двадцать семь, а иногда ей давали и меньше. В беззаботной жизни есть своя прелесть. Замужние подруги Анжелы выглядели куда хуже нее. Все признавали это. Многие из подруг Анжелы растолстели после родов или просто так, от обжорства и малоподвижного замужнего образа жизни. А те, кто умудрился сохранить стройную фигуру, обзавелись ранними морщинами. Морщины в тридцать! Анжела рассчитывала протянуть без них хотя бы до пятидесяти.

Иногда она видела, как замужние приятельницы тянут домой пудовые сумки с продуктами. И даже если к этим сумкам прилагался мужчина, Анжела все равно содрогалась при одной только мысли, что эти продукты теперь надо расставить по своим местам, а потом еще и переработать, съесть, вымыть посуду, выкинуть оставшиеся объедки и прочий мусор — и снова начинать круг по новой.

Было от чего прийти в ужас и отказаться от замужней жизни!

— Во всем надо уметь видеть положительную сторону.

Когда прежние любовники Анжеле надоедали или начинали себя как-то не так вести или ей просто хотелось чего-нибудь новенького, она отправлялась на охоту. О да, она знала толк в хорошей охоте. И как у всякого опытного охотника, у нее было несколько излюбленных местечек, где она не раз ловила жирную добычу, имелись и союзницы, которые помогали Анжеле, делая охоту особо удачной.

Но Анжела любила все новое, она не стеснялась экспериментировать с выбором мест, свободно перемещаясь ночами по городу из одной увеселительной точки в другую. И поэтому даже в самый скучный вечер время у нее все равно проходило очень весело.

Вечер этой пятницы должен был пройти особенно задорно. У одной из приятельниц Анжелы — Дины — сегодня был памятный день: три года, как она развелась со своим последним мужем. И Дина собиралась отметить это событие с размахом. То есть размах тут должна была обеспечить Анжела, поскольку сама Дина после развода с мужем переживала период финансового спада, жила с мамой и отчитывалась перед той за каждую потраченную копейку.

— Конечно, мы это отметим! — воскликнула Анжела, когда Дина впервые заговорила о надвигающейся дате. — И конечно, я беру все расходы на себя. Еще не хватало, чтобы ты в такой день за что-то платила.

Анжела никогда не была жадной, и уж если у нее имелись деньги, почему бы их и не потратить вместе с Диной? Тем более что последней было просто необходимо хорошенько встряхнуться.

Они встретились в кафе, перекусили после рабочего дня и отправились в бар. Потом — в другой, пели в караоке, танцевали диско, рок-н-ролл. Все шло превесело, а ближе к утру в четвертом или пятом по счету ночном клубе, называвшемся «Три корочки», Дина вдруг вздумала захандрить.

Заливаясь слезами, она призналась Анжеле:

— Никогда не думала, что буду так долго без нового кольца. Ну скажи, почему мне не удается ни с кем толковым познакомиться? За всю ночь ни одного стоящего мужчины!

Анжела не знала, что ей на это ответить. И поэтому предложила:

— Вон там сидит парочка симпатяг. Хочешь, я с ними тебя познакомлю?

Дина оценивающе посмотрела в ту сторону, куда взглядом указывала ей Анжела. Несмотря на множество коктейлей, которые булькали в Дине, взгляд ее все еще сохранял некоторую зоркость. Она сумела оценить и обувь, и часы, и общий холеный вид этих двух господ, явно незнакомых с тяжелым трудом, и с сомнением покачала головой:

— Не потяну. Я сейчас несколько не в форме.

— Когда за дело берусь я, все будет в шляпе! — самоуверенно воскликнула Анжела. — Только скажи, какой из них тебе нравится? Рыжий или блондин?

Дина не могла решиться и потому тянула время:

— А ты их откуда знаешь?

— Я их и не знаю.

— Совсем?

— Совсем.

— Как же ты тогда к ним подойдешь?

— Не важно. Говори, которого выбираешь?

— Ну, пожалуй, блондина. У него лицо подобрей.

Дина имела в виду невысокого и упитанного мужчину сохранившего по-юношески румяные щеки.

— Отлично.

И Анжела тут же направилась к молодым людям, сидящим за столиком. Она уже изучила обстановку в зале и потому знала, что эти двое были практически единственными свободными мужчинами в клубе, которые, помимо того что изначально явились сюда без подруг, так до сих пор и оставались незанятыми. Анжела также успела заметить несколько взглядов, брошенных в их сторону другими хищницами, и чувствовала, что нужно поспешить, если она не хочет упустить добычу.

Но все же ее опередили. И как ни решительно была настроена Анжела, дорожку ей перебежали. Как только Анжела двинулась в направлении облюбованных ею жертв, ее маневр был тут же замечен. И молодая девчонка с ближайшего к двум мужчинам столика тоже резво вскочила на ноги и поспешила к ним.

— Мне кажется, я вас знаю, — произнесла она, обращаясь к этим двум мужчинам и одновременно кидая на Анжелу предостерегающий взгляд.

«Моё! Не тронь!»

Анжеле пришлось притормозить. Сделав вид, что слушает музыку, она со своим коктейлем оставалась неподалеку и слышала разговор этой молодой нахалки и тех двух мужчин за столиком.

— Вы ошибаетесь, девушка, — произнес один из них. — Мы с вами не знакомы.

— Так давайте исправим эту ошибку!

Девушка лучилась оптимизмом, который присущ молодости. Но ее ожидало глубочайшее разочарование. Двое мужчин даже не подумали откликнуться на ее призыв. Скользнув по девушке недобрым взглядом, рыжий произнес:

— Красавица, поищи себе кого-нибудь помоложе. Мы для тебя уже старики.

Но девчонка не сдавалась:

— А мне как раз нравятся мужчины с опытом. Давайте потанцуем.

— Танцуй сама.

— Но я хочу с вами.

Вот прицепилась! Раздражение и неудовольствие отчетливо читалось на лицах обоих мужчин. Анжела это видела, а вот ее соперница почему-то нет.

В разговор вмешался упитанный блондин с такими румяными щечками, что их румянец не мог испортить даже спертый воздух ночного клуба.

— Девочка, иди себе своей дорогой, — произнес он. — Мы с другом не будем танцевать ни с тобой, ни с кем другим. У нас тут дело.

— Что за дело? Давайте, я вам в нем помогу.

— И к тому же мы с другом оба женаты!

В доказательство своих слов он поднял правую руку, где на безымянном пальце и впрямь красовалось тонкое обручальное кольцо, украшенное несколькими сверкающими брильянтами. Но даже это не отрезвило девчонку.

— А мне нравятся женатые мужчины! — заявила эта упрямица. — Короткий секс — и до свидания. Как вам такое?

Кажется, мужчины оторопели от сделанного им с такой легкостью предложения. Потом рыжий все же собрался и лаконично ответил:

— Нет, спасибо.

— Ну, как хотите.

Девчонка была разочарована и не скрывала этого. Она использовала уже все козыри, включая и самый сильный, но они оказались биты. Девушка отошла от несговорчивой парочки и уселась за свой столик. Анжела заметила, что там в полумраке скрывалась целая компания. Еще две девчонки и мужчина средних лет. Неудачница вернулась к своим друзьям и тут же принялась оправдываться перед седовласым мужчиной. Почему-то у Анжелы создалось впечатление, что мужчина выговаривает девчонке за ее неудачу. Интересно, с чего бы это? И почему этот седой столь упорно прячется в полумраке? За последние полтора часа он оттуда ни разу и носа не высунул.

Но наблюдать за этой компанией долго Анжела не могла. Она увидела, что рыжий с блондином поднимаются со своих мест. Уже уходят? Несмотря на то что мужчины отвергли длинноногую молодую нахалку, Анжела не сомневалась: если она захочет, то сумеет заинтересовать этих двоих хотя бы настолько, чтобы они угостили ее и Дину коктейлем и скрасили им этот вечер.

«Вот только надо ли нам с Диной это счастье?»

И все же Анжела понимала: Дине сейчас сгодится кто угодно. А значит, нужно было зааркáнить этих двоих. Одного для себя, второго для подруги.

Молодая нахалка действовала напролом, примитивно и грубо, поэтому она и получила отлуп. Опыт Анжелы позволял ей вести более тонкую игру. Она была уверена, что сумеет завязать непринужденный разговор с этими мужчинами. Вопрос был в другом. А нужно ли им с Диной развивать такое знакомство? Обычно Анжела избегала иметь дело с женатыми мужчинами. У нее, видите ли, были свои принципы. И покушаться на то, что уже принадлежит другой женщине, она избегала.

Конечно, случались и у нее промашки, когда наутро случайно выяснялось, что вчерашний краснобай и гулена на самом деле всего лишь жалкий женатый подкаблучник. Но Анжела всегда беспощадно и иной раз в ущерб собственным чувствам порывала с такими мужчинами, даже не дожидаясь того часа, когда они успеют надоесть ей.

Помогало ей в этом какое-то чувство брезгливости, появляющееся по отношению к гулящему мужчине. А когда совсем уж неспокойно делалось у Анжелы на душе, то она успокаивала свою совесть, твердя самой себе, что если женщина не узнает об измене своего мужа, то вроде как никакой измены и не случилось. И уж ее, Анжелы, вины в этом точно нет. Если мужчина настроен на измену своей жене, значит, не в порядке что-то у этих двоих. Пусть сами между собой и разбираются, а ее — Анжелу — оставят в покое.

— Ну что? — услышала Анжела голос Дины рядом с собой. — Стареешь, мать? Ничего не получилось? Напрасно расхвасталась?

Анжела вздрогнула. Под сомнение ставился ее авторитет в вопросах флирта. Этого никак нельзя было допустить!

— Почему же не получилось? — как можно спокойнее произнесла она. — Я еще и не пыталась.

— А чего ждешь?

— Они оба женаты.

— И что с того?

У Дины никаких моральных принципов на этот счет не имелось. Напротив, так как ее собственный муж ушел от нее к другой женщине, с которой многократно изменял Дине, то она также теперь считала своим долгом увести от законных жен как можно большее количество мужчин. На маленьком злобном личике Дины был написан воинственный призыв: «Если уж не повезло мне, пусть и другие тоже страдают!»

— Быстро знакомься с ними, а иначе я всем нашим растреплю, что ты теряешь хватку и на тебя больше не клюют!

Это было просто возмутительно. Особенно после того, как Анжела всю ночь поила, кормила и водила Дину по клубам за свой счет. Анжела едва удержалась, чтобы не дать Дине пинка по ее тощей заднице. Ее остановило лишь то, что Дину ей было жалко. Она очень тяжело восприняла развод с мужем. И до сих пор переживала его измену.

— Ладно! — решилась Анжела. — Поболтать с ними мы в любом случае можем. Их женам от этого убытку не будет. Стой тут и жди меня с трофеем!

К этому времени блондин и рыжий уже переместились к стойке бара, где вели о чем-то разговор с барменом. Стрелки часов подбирались к половине четвертого утра, клуб потихоньку пустел. Люди разъезжались, кто поодиночке, а кто и парами. Анжела подошла к стойке и якобы случайно толкнула рыжего своим бокалом.

— Ой, простите! — извинилась она. — Я вас облила!

Рыжий взглянул на нее с нескрываемым негодованием. Анжела несколько перестаралась, облила так уж облила. Да еще забыла, что в стакане у нее «Кровавая Мэри». И на светлой ткани пиджака мужчины теперь расплывалось уродливое томатное пятно.

— Вы это специально сделали! — возмущенно произнес он.

— Да нет, что вы! Зачем мне это?

— Я не знаю. Но тут достаточно места, чтобы и слону пройти. А вы всего лишь женщина. Вы это сделали нарочно!

— Слушайте, что вы так возмущаетесь? Я дам вам денег на химчистку.

Анжела открыла сумку и сделала вид, что полезла в нее в поисках кошелька.

— Где же мой кошелек? — бормотала она.

Она ожидала, что рыжий ее остановит, но он наблюдал за ней с какой-то непонятной насмешкой во взгляде.

— Или нет! — перестав копаться в сумке, произнесла Анжела. — Мы с вами сделаем иначе.

— И как же это?

— Пойдем ко мне домой, я тут живу неподалеку. Там мы и приведем в порядок ваш пиджак.

— У вас дома есть химчистка?

Теперь рыжий уже откровенно потешался над ней. Анжеле стоило большого труда держать себя в руках.

— Нет, — невозмутимо произнесла она. — Химчистки у меня нет. Но у меня есть мыло, сода, нашатырный спирт и другие средства, с помощью которых можно отчистить любое пятно.

— Спасибо, но я вынужден отказаться от вашего любезного приглашения. У меня еще есть дела.

Какие дела в половине четвертого утра? Что он придумывает?

— Поедемте, — настаивала Анжела. — Подождут ваши дела. Надо действовать, пока пятно еще не засохло. Потом от него будет избавиться гораздо трудней.

Но рыжий, уже промокнув пятно чистой салфеткой, процедил сквозь зубы:

— Я же сказал, что занят!

Анжела фыркнула и отошла в сторону. Она с трудом скрывала охватившую ее досаду. Ничего не вышло! Мужчины не захотели с ней даже поговорить. Что же, приходилось признаться, что и ее обаяние может дать промах. Или Дина права и она просто стареет?

Усилием воли Анжела заставила себя встряхнуться. В самом деле, что за пораженческие мысли? Она лучше всех молодых! Красивее! Умнее! Привлекательнее!

Однако оставался еще нерешенный вопрос с Диной, которая поджидала ее за столиком. Двигаясь к ней, Анжела видела, как ехидная улыбочка заиграла на тонких губах Дины. Та поняла, что подруге не удалось заполучить кавалеров, и теперь готовила несколько ядовитых реплик, на которые Дина была большая мастерица.

Внутренне готовя подруге достойный ответ, Анжела двигалась не торопясь, хорошо понимая, что ничего приятного она от подруги не услышит.

И когда до Дины оставалось всего несколько шагов, а подруга уже открыла рот, чтобы произнести заранее заготовленную тираду, Анжела услышала позади себя шаги и знакомый голос рыжего взволнованно произнес:

— Приглашение ваше еще остается в силе?

Анжела обернулась и увидела прямо за собой рыжего и маячащего за его спиной блондина.

— Мы можем почистить у вас мой пиджак? — произнес рыжий.

— Да, — растерянно подтвердила Анжела. — Можем, но...

— Тогда пошли!

— Прямо сейчас?

— Сами же утверждали, что нужно поспешить, иначе пятно засохнет. Вот и поторопимся!

Говоря это, рыжий оглянулся по сторонам. Вид у него был какой-то встревоженный, если не сказать испуганный. Но Анжеле было не до этого. Поступившее предложение рыжего позволяло ей дать достойный ответ Дине, поставить подругу на место. Вот о чем думала сейчас Анжела, об этом и ни о чем другом.

Но если бы ее мысли не были столь заняты противной Диной, наверное, Анжелу бы насторожила та внезапная перемена в планах рыжего и его друга. А насторожившись, она бы стала наблюдать за своими новыми знакомыми чуточку более внимательно и увидела бы подтверждение своему первоначальному мнению о том, что эти двое сильно встревожены и оглядываются по сторонам, если не со страхом, то уж с напряжением — это совершенно точно.

Однако ничего этого Анжела предпочла не замечать. Вместо этого она подвела мужчин к своей подруге и сказала:

— Дина, познакомься, это мои новые друзья.

Анжела запнулась, не зная, как представить Дине двоих мужчин.

— Антон! — буркнул блондин.

— Андрей! — добавил рыжий.

И Анжеле показалось, что имена были первыми пришедшими на ум этим двоим.

— Ну что? Идем? — торопливо спросил блондин.

— Хорошо.

— Может быть, такси вызовем?

Но новые друзья девушек категорически отвергли эту идею.

— Вы же сказали, что живете неподалеку? — произнес рыжий, испытующе глядя на Анжелу.

И у той снова сложилось ощущение, что если она скажет, что это не так, то мужчины просто развернутся и уйдут от них. Все это было в высшей степени странно. И не будь рядом Дины, Анжела бы уже давно распрощалась с этими типами. Она нутром чуяла, что знакомство это беспокойное, может принести много проблем и очень мало удовольствия. Но проклятая Дина торчала рядом и сверлила их всех своими огромными черными и злыми глазищами. Нет, уступить ей Анжела просто не могла.

И она сказала:

— До меня идти всего минуты три. Даже две, если быстрым шагом.

— Вот и идем! Как вы там сказали? Быстрым шагом!

И рыжий потащил девушек к выходу. Последнее, на что обратила внимание Анжела в баре, так это то, что столик, за которым сидели молоденькие девчонки и их седовласый куратор, уже пуст. Все они ушли, а Анжела этого и не заметила.

На улице рыжий сразу же взял Анжелу под руку, блондин точно так же поступил с Диной. И дальше они прошли, тесно прижимаясь к девушкам. В другой раз это могло бы вызвать у Анжелы положительные эмоции, но только не сейчас. Сегодня ей мерещилось, что прижиматься к ней у рыжего есть какие-то свои резоны. И резоны эти не имеют ничего общего с самой Анжелой. В том, что рыжий не питает к ней симпатии, в этом Анжела была уверена.

— Быстрее! — поторапливал ее рыжий. — Идемте быстрее! Что вы обе еле тащитесь?

— У нас каблуки, — пыталась объяснить ему Дина. — Мы не можем быстрее.

Но рыжий с блондином их не слышали. Они все ускоряли и ускоряли шаг, так что под конец они двигались чуть ли не бегом.

Рыжий вертел головой по сторонам так, что Анжела была вынуждена поинтересоваться:

— Высматриваете кого-нибудь?

— Район у вас живописный.

Анжела пожала плечами. Вот уж это полная ерунда. Обычный у них спальный район. Что в нем может быть живописного?

Но рыжий продолжал твердить с фальшивым воодушевлением:

— Очень, очень живописный район. Посмотрите, какой дом интересный! Посмотрите, как кучно расположились эти березки.

Но когда он принялся восхищаться типовой автобусной остановкой, Анжела не выдержала и рассмеялась. Рыжий тоже засмеялся. И так, смеясь, они и вошли в нужный им подъезд. Скрываясь в дверях, рыжий в последний раз оглянулся назад, и Анжела готова была поклясться в том, что на его лице в этот момент отразилось огромное облегчение и даже что-то вроде радости.

Глава 2

Однако если Анжела ожидала, что, оказавшись у нее в гостях, эти двое успокоятся, расслабятся и с ними можно будет хотя бы нормально поговорить и познакомиться толком, то ее ожидало горькое разочарование. У нее дома новые знакомые девушек продолжали вести себя настолько странно, что на это обратила внимание даже Дина. Подруга Анжелы вообще редко позволяла себе делать критические замечания по отношению к мужчинам, которые еще не стали ее собственностью. Но тут не выдержала и она.

— Что-то больно уж они оба шуганые, — прошептала Дина, обращаясь к подруге. — Окна зачем-то занавесили, двери на все замки заставили тебя запереть да еще, я видела, на щеколду закрыли. Зачем, как ты думаешь?

Анжела не знала, что и думать. Музыку их гости включили очень громко, нисколько не считаясь с тем, что соседи в этот ранний утренний час еще спали. А когда Анжела вошла в комнату, где стояли динамики, то она с удивлением поняла, что музыку мужчины и не думают слушать. Вместо этого они возбужденно расхаживают по комнате, держа смартфоны прижатыми к уху. Анжела убавила громкость музыки и только теперь услышала голоса своих новых знакомых.

— Да, да, я понял, что дела плохи, — твердил рыжий в трубку. — Они перешли в наступление раньше, чем мы ожидали. Скольких вы уже нашли? Троих? А Сверчок так и не нашелся? Нет? Очень плохо. У нас пока что все в порядке. Вроде бы нам удалось уйти от слежки, хотя я в этом не вполне уверен.

Блондин тоже вел с кем-то беседу:

— Действуем по плану номер два, — говорил он неведомому собеседнику. — Мы пытались связаться с Тараканом, но старик сам ничего не понимает и находится в полной растерянности. Не хочу думать о самом плохом, но, похоже, нас кто-то сдал.

Разговор каждый из двоих друзей закончил одновременно. Анжела с удивлением заметила, что мужчины воспользовались для разговоров не своими собственными смартфонами, они взяли Динкин и ее. Взяли без всякого разрешения! Да еще теперь и уничтожали запись о последнем сделанном звонке.

Анжела была возмущена.

— Когда берешь чужие вещи, надо спрашивать! — сказала она.

Но за мужчин неожиданно вступилась Дина:

— Прости, это я им разрешила.

Анжела пожала плечами. Какое Дина имела право разрешать этим мужчинам пользоваться смартфоном Анжелы? Но заострять конфликт не стала, все-таки гости, хотя и чертовски странные. Между тем мужчины не только выключили свои собственные смартфоны, заявив, что зарядка села, но они еще и вытащили из них аккумуляторы, совершенно обесточив тем самым устройства.

— Зачем вы это сделали? — удивилась еще больше Анжела.

— Полежат, зарядятся, потом еще поработают.

— Может, вам просто дать зарядник? У меня их несколько. Вдруг какой-нибудь вам подойдет?

В ответ мужчины молча уставились на нее, словно и не слыша ее вопроса. Анжела почувствовала себя так, будто это она была в гостях у этих двоих. И чего они так на нее таращатся? Словно ждут чего-то.

— Чаю хотите? — спросила она, чтобы скрыть свое смущение.

— Пожалуйста, — откликнулся рыжий. — Крепкий, без молока, три ложки сахара, если можно.

Вот сластена! А не скажешь, что любит сладкое, такой тощий. Анжела повернулась, чтобы уйти, но тут вспомнила, зачем пригласила этих двоих к себе.

— Давайте ваш пиджак, я его отстираю, — сказала она рыжему.

Тот был занят тем, что осторожно выглядывал из-за занавески на улицу. Не отвлекаясь от своего занятия, он тут же снял с себя пиджак и протянул его Анжеле, даже не глядя на девушку. Какой грубиян! Хмыкнув, Анжела приняла пиджак и спросила у блондина, который тоже пристроился возле окна:

— Вы тоже чай будете?

— Лучше кофе. Без сахара.

А этот, наоборот, похоже, за своей фигурой следит. Хотя и не сказать, что ему это помогает.

Пожав плечами, Анжела отправилась на кухню, где Дина уже варила кофе.

— Сделай еще одну чашку, но сахар в нее не клади. Это для блондина. А для рыжего приготовь чай и сахару насыпь побольше.

— Почему я? Я только для себя хотела.

— Ребята тоже хотят.

— Твои гости, ты им и вари.

Дина всегда очень щепетильно относилась к тому, чтобы, не приведи бог, не потратить свыше необходимого. Это касалось как финансов, так и собственных сил. Но Анжела не собиралась сдаваться.

— Но пригласила-то я их ради тебя. Так что вари!

— Ладно уж, сварю.

— И чай не забудь, сделай. Как я тебе сказала, с сахаром. Три ложки положи.

Дина вздохнула, словно ей поручили в одиночку разгрузить вагон с кирпичами, потом кинула в турку еще одну ложку молотого кофе, плеснула воды, включила электрический чайник и уселась на табуретку.

— Скучно, — пожаловалась она Анжеле. — Что там эти хоть делают?

— В окно пялятся.

— Зачем?

— Не знаю.

— А что это у тебя в руках?

— Пиджак. Сейчас пойду его стирать.

Услышав, что Анжеле тоже придется чем-то заняться, Дина неожиданно быстро повеселела. Главной заботой Дины в этой жизни было не допустить, чтобы кто-то трудился меньше, чем она сама. Анжела подозревала, что Динкина лень и была тем стимулом, побудившим ее мужа сначала завести себе любовницу, а потом и вовсе перекочевать к этой любовнице и даже жениться на ней.

Не так уж приятно, когда тебя в конце рабочего дня дома встречает озлобленная жена, которая прямо с порога заявляет, что накопилась куча домашней работы и что она тут не нанималась разгребать грязь и вообще упахиваться, словно раб на галерах. Резонное, хотя и робкое замечание мужа о том, что домашние обязанности лежат на Дине, потому как сам он работает и работает много, вызывали в супруге приступ истерики.

— Ты хочешь, чтобы я окончательно похоронила себя на кухне? — верещала супруга, топая ногами. — Негодяй! Ничтожество! Ты ничего не можешь! Другие мужики зарабатывают столько, что нанимают своим женам и кухарку, и домработницу, а ты все на меня одну взвалил.

— Но ты же ничего не делаешь.

— Как это ничего? — сатанела Дина. — А уход за собой? Скажи спасибо, что я у тебя на это деньги не прошу. Другие жены целыми днями по салонам красоты носятся, а я все сама, все своими руками! А ты все время недоволен. Неблагодарный!

В результате Дине чаще всего удавалось так задурить голову мужику, что он покорно вставал к плите, сам готовил ужин, а потом сам же и мыл посуду, покуда Дина делала себе маникюр или весело болтала с подружками по телефону. По части супружеских обязанностей Дина тоже не сильно напрягалась, то прическу боялась попортить, то маникюр, то питательную маску на лице. Она ведь дорогая, денег стоит. Так что в итоге супруг Дины предпочел пусть и менее ухоженную, но зато более заботливую женщину.

Думая о подруге и ее неудавшейся личной жизни, Анжела машинально застирывала рукав пиджака. Вода, мыло, еще немножечко жидкого отбеливателя, пятно на глазах светлело и вот-вот должно было совсем исчезнуть. Внезапно раздался глухой стук, словно что-то упало на пол. Анжела опустила глаза, но ничего не увидела. Пошарив взглядом по бортику, она решила, что упал один из многочисленных флакончиков с ароматическими маслами, которыми Анжела обожала натирать свое тело по окончании банных процедур.

— Потом достану!

Разобравшись с пятном, которое ей удалось отстирать, Анжела просушила рукав, насколько это возможно, на большом вафельном полотенце. Пористая ткань хорошо впитывала влагу, но совсем высушить пиджак так было нельзя. Нужен был утюг. Однако пока Анжела разглаживала руками влажную ткань, она внезапно почувствовала какую-то твердую выпуклость.

— Что это тут?

Сунув руку в нагрудный карман, Анжела извлекла наружу бумажник. Но прежде, чем она решилась заглянуть в него, в дверь раздался решительный стук:

— Где мой пиджак?!

Руки у Анжелы от неожиданности задрожали, и бумажник шмякнулся на пол. При падении он раскрылся на две половинки, и, поднимая его, Анжела увидела фотографию симпатичной женщины с густыми темно-рыжими волосами и озорными зеленоватыми глазами. Невольно она задержалась взглядом на этой фотографии. Кто это? Жена? Скорей всего, вряд ли станешь таскать в бумажнике фотографию посторонней дамы.

На руках у женщины был карапуз с огненно-рыжим пушком на голове. Анжела не слишком-то разбиралась в детях, но все же ей показалось, что ребенку от силы полгодика, может быть, месяцев восемь — десять, но никак не больше. Славный малыш!

— Что происходит? — надрывался между тем рыжий за дверью. — Открывайте!

Анжела поспешно сунула бумажник обратно в карман пиджака, открыла дверь и, протягивая пиджак рыжему, улыбнулась:

— Я сейчас поглажу, и все будет в полном...

Договорить ей не удалось. Рыжий быстро выхватил у нее из рук пиджак, не постеснявшись проверить наличие бумажника в нем, и сверкнул на Анжелу взглядом:

— Мы уходим!

— Как? — даже растерялась Анжела. — Уже уходите?

— Да. Нам пора! Прощайте!

И странная парочка, отперев замки, устремилась прочь. Девушки же остались в полнейшем недоумении. Во всяком случае Анжела была в шоке. Дина же молчала, что было странно, ибо обычно подруга за словом в карман не лезла.

— Что это было? — наконец пробормотала Анжела.

— Не знаю.

— В кои-то веки собиралась мужчине погладить пиджак, и вот...

Она не договорила, а вредина Дина заметила:

— Не гладила, нечего было и начинать на старости лет.

— Хватит мне постоянно про мою старость трындеть! Достало!

Анжела была раздосадована не на шутку. Так быстро от нее мужчины еще никогда не убегали. Если уж им доводилось оказаться у нее в гнездышке, то они старались задержаться тут подольше. Все, кроме этих двоих.

— И чего они сбежали? — растерянно пробормотала Анжела. — Что им было не так?

В этот момент она услышала голос Дины, которая звала ее к себе:

— Иди сюда!

Анжела поспешила к подруге. Дина стояла у окна и указывала рукой на улицу.

— Смотри, вот они!

Анжела тоже выглянула и увидела своих знакомых. Быстрым шагом они направлялись к машине, которая явно ждала именно их двоих. Шагали рыжий с блондином втянув голову в плечи и постоянно оглядываясь по сторонам, словно в любой момент ожидали нападения, выстрела...

— Кто же они такие? — пробормотала Анжела. — Уголовники?

— Да нет, непохоже.

— Они тебе про себя что-нибудь рассказывали?

— Нет.

— А чем вы тут занимались, пока я была в ванной?

— Ничем, — быстро ответила Дина. — Я им кофе и чай принесла, они стали пить, потом блондину кто-то позвонил и... и всё.

— Как «всё»? — удивилась Анжела. — О чем они разговаривали? И потом... Как это ему позвонили? Они же оба выключили свои телефоны.

— На мой номер звонок пришел.

— А-а-а... И о чем они говорили?

— Я не помню, — быстро ответила Дина.

— Как не помнишь? — еще больше удивилась Анжела. — Это же вот было... только что.

— Я не слышала!

— Звонили на твой телефон, а ты не слышала?

Анжела подозрительно посмотрела на подругу. При всем своем желании она не могла сейчас поверить в то, что Дина говорит ей правду. За такое короткое время Дина никак не могла забыть суть телефонного разговора блондина. И не услышать его она тоже не могла. Не такой была Дина, чтобы пропустить что-то важное мимо своих ушей, да еще если разговор велся по ее собственному телефону.

— Что ты так на меня смотришь? — неожиданно обиделась Дина. — Говорю тебе, что не помню.

— Давай посмотрим, кто звонил.

— Что толку? Стерли они все.

— Надо было сразу же взглянуть, — попеняла подруге Анжела.

— Ну не догадалась! Не всем же иметь такие мозги, как у тебя. Ты-то у нас отличница, золотая медалистка, а я так... тихая троечница.

Голос у нее прозвучал горько. Дина вообще часто давила на жалость, и у нее это здорово получалось. Когда никто ее не жалел, могла обойтись и своими собственными силами. И тогда уж жалела себя самозабвенно и неистово.

Вот и сейчас она моментально ударилась в скорбь и запричитала:

— Никто меня не любит. Муж сбежал. Работы приличной нет. Денег нет. Да еще ты, моя лучшая подруга, и та меня подвела.

— Чем я-то виновата?

— Обещала, что мы сегодня уйдем с тобой в отрыв, и что? Где он, этот отрыв? Еле-еле подцепили двух каких-то придурков, так и те от нас удрали!

Чтобы не отвечать на глупые обвинения подруги, Анжела отвернулась обратно к окну. Она знала за Диной эту особенность: винить во всем случившемся окружающих, но никак не себя любимую. Анжела давно свыклась с этой чертой характера подруги. К тому же она знала, что долго дуться Дина не умеет и все ее упреки носят чисто профилактический характер, чтобы подруга не очень-то расслаблялась.

В это время белая машина, которая подобрала двух их гостей, уже выезжала со двора. Полностью номер

Анжеле было не рассмотреть, но машина была новая. Красивый внедорожник «Ауди Q7» — дорогая тачка, не всякому такая по карману. И снова Анжела невольно задумалась о том, кто же приехал за блондином и рыжим. Судя по тому, как выглядела машина, на которой эти двое отбыли восвояси, это никак не могло быть простое такси.

— Я ухожу, пока! — услышала Анжела голос Дины и вздрогнула.

Голос доносился из коридора. И когда Анжела прибежала туда, то застала Дину уже полностью одетой и с сумочкой в руках. Подруга стояла в дверях и собиралась уходить.

— Закрой за мной, — сказала она, увидев Анжелу.

— А чего ты? Осталась бы еще немножко. Посидели бы, поболтали.

— Нет, хочу домой.

— Давай я тебе хотя бы такси вызову.

— Обойдусь.

Поведение Дины было не поддающимся никакому анализу. И Анжела сделала единственное предположение, которое пришло ей в голову:

— Ты на меня обиделась?

Дина, которая перед этим прихорашивалась перед зеркалом и обиженной отнюдь не казалось, внезапно развернулась в сторону Анжелы и воскликнула:

— Ну да! Конечно! И еще как!

— Но почему?

— Подвела меня.

— Слушай, дались тебе эти двое. Они ведь женаты и еще странные такие. Уехали и ладно.

— Они мне понравились. Видела, на какой тачке они укатили?

Вот что приглянулось Дине в этих двоих!

— Наверное, за ними друзья заехали, вот и все.

— Если у них друзья такие богатые, значит, и они сами не бедненькие. Богач с голытьбой дел иметь не станет и дружбу водить тоже не будет. Богатые всегда с богатыми дружат, уж я-то знаю.

Анжела едва удержалась, чтобы не спросить, откуда это Дина знает, ведь сама она к богачам даже в лучшие времена никакого отношения не имела, но вовремя удержалась, чтобы еще больше не обижать Дину. Она видела, что Дина твердо настроена уходить, и не стала ее задерживать. Пусть идет, если ей так приспичило.

— Такое впечатление, что ты куда-то торопишься.

— Может быть, — загадочно обронила Дина и, в последний раз взглянув на свое отражение в зеркале, махнула Анжеле рукой. — Ну, пока! Не поминай лихом!

Когда подруга ушла, Анжела вернулась на кухню. Она намеревалась выпить чашечку чая, чтобы немного прийти в себя, успокоиться и лечь спать. Но, к своему удивлению, она обнаружила на кухне очень мило сервированный подносик, на котором стояли две нетронутые чашки — одна с чаем, другая с кофе. Глаза у Анжелы увлажнились. Милая Дина! Она все-таки приготовила для себя и Анжелы по чашке.

Взяв чашку в руку, Анжела подошла к окну, чтобы помахать Дине на прощание. Подруга уже спустилась вниз и как раз в этот момент пересекала двор. Анжела надеялась, что Дина обернется и увидит ее в окне. Но Дина не обернулась. Она вообще не оглядывалась по сторонам, быстро перебирала своими худенькими ножками, словно и впрямь куда-то сильно торопилась.

— Куда это она так почесала?

Задумавшись, Анжела глотнула из чашки, которую все еще держала в руках. Но как только Анжела сделала первый глоток чая, она тут же сморщилась.

— Фу! Сладкий!

Анжела никогда не пила сладкий чай, просто не выносила этого вкуса. Вприкуску шоколадную конфетку или даже просто кусочек сахара схрумкать могла за милую душу, а вот класть сладкий белый яд себе в чашку не любила. Дина прекрасно знала эту ее особенность. Еще бы, со школы общаются! За столько лет Анжела с Диной изучили друг друга вдоль и поперек. И конечно, Дина никогда не стала бы сластить чай для своей подруги.

— Может, Динка для себя чай приготовила?

В принципе такое могло быть, потому что Дина вообще любила все сладенькое.

— Но ведь она собиралась выпить кофе? Передумала?

Анжела поднесла к губам чашку с кофе. Этот был несладкий, совсем-совсем горький кофе.

— Что за непонятки? Для кого же кофе-то?

Кофе Анжела как раз любила подслащенный. Дина это тоже знала. Чай несладкий, а кофе сладкий. Вот так просто. Может, Дина насыпала ей сахару в чашку из вредности? Нет, не стала бы Дина так мелко вредничать. Характер у подруги был не фонтан, могла она и покапризничать, и поскандалить, могла и повредничать, но не так глупо. Так в чем же дело?

И тут у Анжелы в памяти невольно мелькнуло воспоминание о том, как блондин требует себе несладкий кофе, а вот рыжий желает как раз сладкого чаю. И Анжела поняла: напитки предназначались отнюдь не для них с Диной, они приготовлены были для их гостей. Сладкий чай для рыжего и горький кофе для блондина.

— Выходит, Дина все-таки не донесла им напитки? — удивилась Анжела. — Только приготовила, но гостям не отнесла? Зачем же она тогда соврала, что отнесла?

Это было непонятно. Но в мире вообще много непонятных вещей. И для себя Анжела давно зареклась, если лично ее это не касается, не стоит даже и обращать внимания. Так что она решила приготовить себе нормальный чай, попить его с бутербродиком и пойти отдыхать, как ей давно уже хотелось.

Собираясь идти спать, Анжела еще раз выглянула во двор. Но там ничего необычного или интересного не было. Первые собачники уже выходили со своими четвероногими питомцами. Но их было мало: сегодня была суббота и всем хотелось поваляться в постелях подольше.

Над городом занимался рассвет. Анжела всегда с удовольствием приветствовала первые лучи солнца. В такие дни, когда ей удавалось застать рассвет, дела шли необыкновенно хорошо, весь день она чувствовала бодрость и хорошее настроение. И все же сегодня не помогли даже первые солнечные лучи, даже им оказалось не под силу прогнать из девушки какое-то неясное чувство тревоги, которое поселилось в ней и мешало Анжеле расслабиться.

Внезапно она вспомнила про флакон, который уронила под ванну. Анжела не любила, когда был беспорядок. И, отвлекшись от прекрасного рассвета, девушка полезла под ванну. Странно, но там ничего не было. Ни флакона, ничего. То есть было немножко пыли и паутины, которую Анжела тут же протерла тряпочкой. А вот флакона или чего-то в этом роде не было.

— Не понимаю, что же тут упало?

Протирая пол от пыли, Анжела внезапно почувствовала под рукой что-то маленькое, больно кольнувшее ей палец.

— Ай!

Вытащив тряпку, Анжела с удивлением рассмотрела выступившую на пальце каплю крови. А потом увидела и виновницу — крохотную пластиковую капсулу, из которой торчал острый крючок, о который Анжела и укололась.

— Что это еще за дрянь? — возмутилась Анжела. И, так как была сердита за уколотый палец, недолго думая размахнулась и швырнула капсулу в окно.

— Так-то оно лучше будет! — проворчала после этого девушка, вымыла палец под краном и пошла спать.

Она думала, что после такой насыщенной ночи сможет заснуть быстро, а ничего не получалось. Анжела без толку ворочалась с боку на бок, сон все не шел к ней. Она вспоминала новых знакомых и радовалась тому, что таинственные гости недолго досаждали ей и свалили, оставив ее в покое.

И все же настоящий покой все не шел к ней. Пришлось даже прибегнуть к снотворному, вот до чего дошло у нее дело. С помощью химии дело пошло на лад, и Анжела наконец почувствовала, что долгожданная сонная истома окутывает ее мягким облаком.

Она заснула и потому не увидела, как в их двор въехала большая черная машина, из которой выскочило двое мужчин, которые принялись бегать у Анжелы под окнами. Наконец один из них, в руках которого был небольшой пикающий прибор, указал на клумбу. А второй, опустившись на колени, извлек из листвы поздней календулы ту самую крохотную капсулу с острым шпеньком, о который Анжела так сильно уколола свой палец.

Этот человек показал второму свою находку, и они принялись вертеть головой по сторонам.

— Жучок тут, — произнес первый.

— А где же они сами? — отозвался второй.

— Вот в том-то и дело. Без жучка мы их теперь вряд ли найдем.

Но так больше ничего и не обнаружив во дворе Анжелы, они сели обратно в свою машину и скрылись так же быстро, как и появились.

Проснулась Анжела во второй половине дня, и не по своей воле, а оттого, что у нее звонил домофон. Спросонок Анжела не поняла, что нужно встать и спросить, кому там она понадобилась. А когда смекнула, домофон уже замолчал.

— Ну и ладно, — проворчала Анжела, поворачиваясь на другой бок и сладко зажмуриваясь. — Если бы очень было надо, дозвонились бы.

Она приготовилась еще немножко подремать, но не тут-то было. Раздался еще один звонок, на сей раз в дверь.

— Это еще что такое? — удивилась Анжела, которая никого не ждала. — Кто там пришел?

Она встала с постели и быстро натянула на себя короткое платьице из мягкого трикотажа, в котором Анжела любила разгуливать по дому. Платье это было уже далеко не новым, оно выдержало множество стирок, растянулось, потеряло первоначальную форму, но зато взамен этого обрело удивительную мягкость и уютность. В этом бесформенном одеянии Анжеле было удобно.

Поправив перед зеркалом волосы, чтобы придать им хоть какое-то подобие порядка, Анжела машинально отметила, что под глазами у нее темные круги, значит, с ночными гулянками пора завязывать, но в дверь продолжали звонить, и она выбросила это из головы.

Подойдя к двери, Анжела взглянула в дверной глазок. Не всегда стоит сразу открывать дверь, иногда некоторая осторожность все же не помешает. Но осмотрев коридор, Анжела не обнаружила в нем никого опасного. Там стояли две молодые женщины, лицо одной из них почему-то показалось Анжеле знакомым. Женщины выглядели смущенно, а глаза у них были вроде как заплаканы. Только поэтому Анжела и подала из-за двери свой голос, хотя до этого не собиралась откликаться.

— Что вам нужно? — спросила она сдержанно.

— Простите... Вы не скажете, наши мужья не у вас?

Анжела едва удержалась, чтобы не вскрикнуть. Так вот это кто! Вот почему лицо одной из женщин показалось ей знакомым. Анжела быстро смекнула, кто явился к ней в гости. Жена рыжего! Анжела видела ее фотографию в бумажнике, выпавшем из пиджака ее рыжего гостя. Голос этой женщины не казался враждебным, она выглядела скорее расстроенной и обескураженной. Вряд ли женщина явилась сюда, чтобы поскандалить, ей было нужно что-то другое.

И не успев хорошенько подумать, что она делает, Анжела распахнула дверь перед этими посетительницами.

— Ваши мужья?

— Да, мужчины, с которыми вы ушли из ночного бара... «Три корочки», вам ведь знакомо это название? Вы там были?

Анжела кивнула головой и спросила:

— Как вы меня нашли?

— Охранник в клубе сказал нам, где вы живете.

Ну да, правильно. Вчера дежурил Коля, а его Анжела пару раз приглашала к себе в гости. Когда не находилось никого получше, годился и Коля. Хоть и небольшого ума, но зато безотказный и добродушный. Да и он умел быть полезным. Например, именно он починил расшатавшийся стол, исправил подтекающий кран в ванной, помог Анжеле вытащить огромное уродливое старое кресло на мусорку. Оказывал он Анжеле и другие услуги, вроде и мелкие, но без которых тоже в быту никак не обойтись.

— Заходите! — пригласила Анжела этих женщин. — Убедитесь, никого тут у меня нету.

Женщины не заставили себя упрашивать. Они перешагнули через порог и тут же прошли внутрь квартиры, восклицая на два голоса:

— Эдик!

— Лисица!

Анжела удивилась:

— Кого вы зовете?

— Наших мужей. Они были у вас сегодня рано утром.

— Тут были двое, — подтвердила Анжела. — Но тех мужчин звали Андрей и Антон.

Теперь наступил через удивляться гостьям.

— Андрей? Антон? Вы не путаете?

— Так они нам представились.

Между тем невысокая пухленькая блондиночка, явно волнуясь, извлекла свой смартфон и принялась листать альбом с фотографиями.

— Посмотрите, эти?

Анжела взглянула и кивнула головой:

— Да. Они самые.

— Это наши мужья! — произнесла блондиночка. — Эдик и Лисица. Где они?

— Не знаю. Ушли.

— Когда?

— Куда?

Анжела развела руками.

— Так уже давно. Пробыли у меня всего минут пятнадцать-двадцать. Может быть, полчаса, я не засекала время. Они кому-то позвонили, им кто-то позвонил. Потом за ними приехала белая «Ауди», они сказали, что им надо уходить, и ушли.

— И они не сказали вам, куда поедут?

— Нет. Да я и не спрашивала. Если честно, то я и знакомиться с ними не хотела. Это все Дина виновата.

— Дина — это ваша подруга? Вы с ней были в «Трех корочках»?

— Ага, — кивнула головой Анжела. — И ей хотелось во что бы то ни стало познакомиться этой ночью хоть с кем-нибудь.

— Почему?

— Зачем?

— Ровно три года назад от Дины ушел муж. Она была уверена, что быстро сумеет найти ему замену. Но три года прошло, а у нее так никого и не появилось. Для нее было делом принципа познакомиться вчера хоть с кем-нибудь.

— Ясно, — произнесла упавшим голосом блондинка.

— Мы понимаем, — добавила рыжая.

Обе женщины выглядели такими обескураженными и несчастными, что Анжеле, которая обладала добрым сердцем да и вообще была незлым человеком, захотелось их хоть как-то утешить.

— Да не огорчайтесь вы так, — произнесла она. — Ваши мужики и не хотели с нами знакомиться. И ко мне идти не хотели.

— Почему же пошли?

Анжела задумалась. В самом деле, почему?

— Знаете, мне показалось, что они чего-то опасались, — призналась она. — Им было нужно у кого-то пересидеть, вот они и решили воспользоваться моим предложением.

Но если она полагала, что ее слова утешат этих женщин, то все получилось с точностью до наоборот. Женщины, которые и так выглядели неважно, теперь совсем упали духом. В глазах у рыжей появилось какое-то затравленное выражение. А блондинка повернулась к рыженькой и воскликнула.

— Видишь, Кира, значит, все правда! И им действительно угрожает опасность!

Рыжая сделала предостерегающий жест, словно призывая блондинку к молчанию, но та была безутешна:

— Все... Все, я как чувствовала!

Слезы уже вовсю текли по щекам блондинки. И рот рыжей тоже дрогнул:

— Леся, не надо! — сдавленным голосом произнесла она. — Не плачь! Мы должны быть сильными, мы должны держаться! Все будет в порядке, я уверена.

Однако ее дрожащий голос говорил о том, что сама рыжая отнюдь не испытывает той уверенности, о которой говорит.

— Но где они? Что это была за белая машина, на которой они уехали?

Обе женщины повернулись к Анжеле, которая молча наблюдала за ними, не произнося ни слова. Она уже понимала, что влипла в какую-то историю, вот только еще не знала, в какую именно.

— Скажите, вы не запомнили номера?

— На машине? Н-н-нет...

— А кто сидел за рулем?

— Я не видела. Я сверху смотрела, мне не было видно, что делается в салоне.

— Может быть, возле машины стоял какой-нибудь человек?

Анжела молча отрицательно покачала головой. Увы, нет. Она ничего не видела.

— Боюсь, что я ничем не смогу вам помочь.

— Но куда они уехали? Вы сказали, что им кто-то позвонил по телефону, кто это был?

— Я не знаю. Но когда они сами звонили, то говорили про какого-то Сверчка, который до сих пор не нашелся.

— Сверчок? Это фамилия?

— Слушайте, дамы, — произнесла Анжела, уже раздражаясь. — Что вы от меня хотите? Я уже рассказала вам все, что знала.

— Но вы сказали, что им звонили...

— Позвоните вашим мужьям сами и спросите у них, что вас интересует.

— Ах! — воскликнули женщины. — Мы только этим и занимаемся все утро и половину дня!

— И что?

— Но их телефоны все время выключены.

— Может, они на работе? — предположила Анжела после короткой паузы, чтобы хоть что-нибудь сказать.

Про себя-то она думала: какая там работа в субботу утром? Ясно, что мужики загуляли, а жен своих в известность о том не поставили.

Но гостьи Анжелы, казалось, совсем так не думали.

— В том-то и дело, что им обоим давно следует быть с отчетом о проделанной работе у себя на службе, — произнесла рыжая.

— Но их там нету, — добавила блондинка.

— И никто не знает, где они.

— Начальство их ищет, коллеги на ушах стоят, а вы не хотите нам помочь!

Уяснив для себя, что дело тут не просто в ревности или в обычной измене, мужчины не просто загуляли от своих жен, с ними и впрямь случилось что-то неладное, Анжела быстро успокоилась и ответила куда более миролюбиво:

— Дело не в том, что я не хочу вам помогать, просто не знаю, что я могу. Меня не было в комнате в тот момент, когда вашим мужьям позвонили. Я не присутствовала, с гостями была только Дина. Если хотите, спросите об этом у моей подруги.

— У Дины?

— Да, у Дины.

— А как нам ее найти?

— Я вам помогу.

Произнося это, Анжела уже жалела о сделанном предложении. Теперь придется звонить Дине, разговаривать с подругой, объясняться, просить или, зная характер Дины, даже упрашивать. И еще не факт, что Дина скажет правду, даже если что-то и знает.

Но когда Анжела набрала номер подруги, то все оказалось еще хуже, чем представлялось ей до сих пор.

Глава 3

Дина на вызов не отвечала. Анжела набрала номер подруги раз, другой, третий. Бесполезно. Телефон был выключен. Потом Анжела позвонила Дине на домашний номер, но никто не ответил и там. Это было вообще странно. Ведь после развода с мужем Дине пришлось вернуться домой, к маме. Жили они в коммунальной квартире, где кроме них двоих обитали еще сосед дядя Володя и старший брат Дины Гермес, до сих пор не удосужившийся устроить свою личную жизнь и служащий мишенью для постоянных нападок сестрицы, обозленной на всех мужиков, включая своего родного брата.

Так что кроме Дины в квартире обитало еще три человека.

— Куда же они все подевались?

Анжела положила трубку, избегая смотреть на своих посетительниц. Она знала, что если поднимет глаза и встретится взглядом с этими женщинами, то не выдержит и примется им помогать. Поедет вместе с ними к Дине, будет дожидаться подругу, потом разговаривать с Диной, а от одного этого можно поседеть, потому что вытянуть из Дины что-то, когда она не хочет это давать, дело весьма нелегкое. А Анжеле почему-то казалось, что Дина не захочет говорить про то, что интересовало этих двух встревоженных женщин.

— Ну что? — не выдержала та светленькая, которую, как помнила Анжела, звали Лесей. — Вы нам поможете?

— Пожалуйста! — взмолилась и рыжая. — Помогите нам!

У Анжелы было огромное желание ответить отрицательно, но она не смогла. Неожиданно перед глазами у нее встала мордашка рыженького мальчугана, который был так похож и на свою маму, и на отца. А вдруг с его папашей и впрямь случилось что-то неладное? Вдруг сейчас от того, как поведет себя Анжела, будет зависеть жизнь этого человека? Она вот сейчас останется дома, все для нее на этом и закончится, но сможет ли она простить себя потом?

Голос разума требовал от Анжелы, чтобы она осталась дома, никуда не совала свой нос и просто жила себе спокойно, как жила до сего дня. Но другой голос (и откуда он только взялся!) требовал от Анжелы, чтобы она оторвала свой очаровательный упругий зад от стула и помогла этим женщинам.

— Хорошо, — произнесла Анжела. — Подождите, я только оденусь — и отвезу вас к Дине. Может, она и впрямь знает больше моего о том, куда собирались отправиться дальше ваши мужчины.

Она выпалила эту фразу и тут же удивилась тому, как легко вдруг стало у нее на душе. Создавалось такое впечатление, что она сделала именно то, что и должна была сделать для того, чтобы все снова стало хорошо.

Но одеваясь в ванной, Анжела уже снова проклинала себя за мягкосердечие и бурчала себе под нос:

— И зачем я в это впутываюсь? Оно мне надо? Их мужики, пусть бы сами их и искали!

Однако оделась она очень быстро. Краситься вовсе не стала. Волосы захватила на голове блестящей заколкой и мысленно порадовалась тому, что матушка природа наделила ее такими густыми, чуточку жесткими волосами, которые, может, кому и напоминают солому, зато не нуждаются ни в каком особом уходе за ними. Такие волосы что причесывай, что не причесывай, эффект все равно один и тот же.

— Все! Я готова! Пошли!

Анжела взяла ключи от своей машины, но оказалось, что у ее новых знакомых есть своя — очень красивый светло-синий «Гольф», на боку у которого красовалась аэрография — заснеженный зимний лес: по дороге между вековых елей мчится тройка, а в санях сидит улыбающаяся девушка в цветастом платке и шубке, которая не сводит сияющего взгляда со стройного парня, правящего тройкой.

Но у Анжелы не было времени, чтобы насладиться хорошенько этой мастерски нарисованной картинкой, ее спутницы уже сидели в машине и с нетерпением поглядывали на нее.

— Поедем скорее. Тут далеко?

— Не очень. Несколько автобусных остановок. Можно и пешком пройтись, но это займет около получаса.

Так долго ее спутницы ждать были не намерены. Им хотелось как можно быстрее добраться до свидетельницы, которая могла сказать, куда подевались их мужчины. За рулем сидела рыжая, которую, если Анжела правильно запомнила, звали Кирой. И надо сказать, что, хотя Анжела и сама любила быструю езду, так лихо она никогда по дорогам города не гоняла.

Беленькой Лесе тоже было страшно.

— Потише! — попискивала она на подругу. — Мало толку, если до места доедут только наши трупы.

— У нас полно времени, — подтвердила и Анжела, вцепившаяся обеими руками в сиденье. — Дома у Дины по-прежнему никого нет.

Но Кира их не слушала. Она двигалась в плотном дорожном потоке, умело лавируя между другими автомобилями, проезжая на красный свет и не обращая внимания на возмущенное гудение автомобилистов.

Лишь в исключительных случаях Кира высовывала свою рыжую голову в окно и кричала:

— Я очень тороплюсь! Извините меня!

И проезжала дальше под неумолчное гудение чужих сирен. С Анжелы с непривычки и от страху сошло семь потов. Она уже всерьез жалела, что согласилась помогать этим женщинам. Ведь чувствовало же ее сердце, что это потребует от нее немалых сил.

Наконец они добрались до дома, где жили Дина, ее мама, брат и сосед. В квартире было три комнаты: в одной проживал сосед, в другой брат, и третью, самую большую, занимали Дина с матерью. Но хотя комната и называлась большой, ее площадь не превышала восемнадцати метров, так что двум взрослым женщинам было в ней тесновато.

Но, несмотря на трудности, жили Дина с матерью дружно, душа в душу. Мама у Дины вообще была замечательная, во всяком случае так считала она сама лично. А считала она так потому, что детям своим позволяла решительно все, такова была ее главная педагогическая идея. Правда, когда мама Дины пыталась озвучить эту идею в школе перед классной руководительницей, которая вызывала женщину к себе по поводу неудовлетворительной успеваемости ее чад, то получила жесткий отпор:

— Детей надо воспитывать, а вы их распускаете! У вас отличные дети, они обладают способностями, но вы позволяете им лениться, а это до добра еще никого не доводило.

Разумеется, учительница моментально стала врагом номер один для матери Дины, а сама Дина и ее брат оказались полностью предоставленными самим себе и своим прихотям. Если раньше им позволялось почти все, то теперь они могли делать абсолютно все что хотели. Двойки, замечания и даже выговоры, появляющиеся в дневниках детей, их мать объясняла всегда одинаково и очень просто: ее детям досталась ужасная, просто катастрофически бесчувственная и жестокая училка, которая ровным счетом ничего не понимает в педагогике.

Тот факт, что двойки и замечания появлялись по всем предметам, а классная вела только математику, Динина мама тоже могла объяснить. Ясное дело, противная баба просто подговорила своих коллег-учителей, чтобы те цеплялись к двум замечательным детям и специально занижали им оценки. Проверить, насколько ее обвинения соответствуют правде, и хотя бы разок взглянуть в тетрадки своих обожаемых чадушек женщине и в голову не приходило. Зачем? И так все ясно.

Хотя Анжела иногда думала, что, возможно, Людмила Петровна отнюдь не была такой уж дурой. И в тетради и дневники своих детей не заглядывала потому, что просто боялась увидеть там нелицеприятную правду. Кто его знает, как там было на самом деле, но в итоге Дина и ее брат выросли на редкость распущенными созданиями, которые были твердо уверены лишь в одном, а именно в том что эта планета крутится исключительно для того, чтобы было хорошо им.

Анжела и сама не могла толком объяснить, как получилось, что они с Динкой в последнее время так крепко сдружились. В школе были в одной компании, но близкой дружбы между ними не водилось. Да и после школы их пути-дорожки разошлись в разные стороны. Но вот в последние годы они ни с того ни с сего взяли и сдружились. Особенно на этой дружбе настаивала Дина, которая после развода с мужем, оставшись одна, очень хотела ситуацию изменить и потому рассчитывала в этом плане на Анжелу.

— Возле тебя постоянно куча мужиков крутится, — так объясняла она подруге свою позицию. — Может, кто-нибудь из них обратит на меня внимание. Ты ведь не будешь возражать? Отдашь мне хоть кого-нибудь? Конечно, не самого паршивенького. Паршивых и у меня самой в избытке!

Анжела бы с радостью пожертвовала любым из своих кавалеров или даже ими всеми, лишь бы ее подруга была счастлива. Но вот странная штука, если на Анжеле все эти мужчины были готовы жениться хоть завтра, то когда Дина заводила речь о том, что сама не прочь прогуляться к алтарю, мужчины немедленно слепли, глохли, а наименее стойкие так и вовсе пускались в бега.

Так что, несмотря на все свои старания, Анжела так и не сумела выдать Дину замуж ни за одного из своих ухажеров.

Обо всем этом Анжела думала, пока они втроем сидели на деревянной лавочке, кем-то из жильцов заботливо поставленной прямо напротив дверей квартиры Дины, и дожидались возвращения ее обитателей. До сих пор поговорить с самой Диной им так не удалось. Но ее мама, до которой Анжела в итоге все же дозвонилась, сообщила ей, что сейчас расплачивается на кассе, говорить не может, но будет дома минут через пять-десять, тогда они и поговорят.

И вот теперь они сидели и ждали. Десять минут давно прошли, а Людмилы Петровны все не было.

Анжела уже поняла, что рыженькая Кира и блондинка Леся — не просто подруги по несчастью, сошедшиеся на почве совместных поисков загулявших мужей, они и сами по себе тоже подруги, и к тому же подруги давнишние. Обе они жили в коттедже, который купили на двоих, где-то в пригороде, в местечке под названием «Чудный уголок». И если было правдой все, что рассказывали девчонки о том, как была устроена жизнь у них в поселке, то он и впрямь полностью соответствовал своему названию.

— А вот и я!

Анжела услышала шум лифта, затем шаги на лестнице, а через несколько секунд появилась и сама Людмила Петровна, тяжело влекущая по ступеням свое монументальное тело, в котором даже в пору строжайшего поста и диеты все равно никогда не бывало меньше центнера живого веса.

— Анжелка, привет, — произнесла она, запыхавшись, хотя ей пришлось всего лишь спуститься на один пролет от остановки лифта до лестничной площадки, на которой находилась ее квартира.

— Здравствуйте, Людмила Петровна. Скажите, а где Дина?

— Не знаю. Дома разве ее нет?

— Думаю, что нет. Мы звонили, никто не открывает.

— Ну, значит, нету, — решила женщина и полюбопытствовала: — А кто это с тобой?

— Это... Это мои приятельницы. Они мужей ищут.

— А-а-а, — безнадежно вздохнула Людмила Петровна и, оценивающе взглянув на Киру с Лесей, вынесла неутешительный вердикт: — раньше вам, девоньки, об этом думать надо было. Пока помоложе были, был у вас еще шанс. А теперь... Вы уж меня извините, что я с вами так начистоту, но иногда лучше самая горькая правда, чем сладкая ложь.

Кира с Лесей оторопели. Но Анжела успела вмешаться раньше, чем ее новые знакомые кинулись объяснять, что пришли сюда в поисках своих собственных мужей. У Анжелы был на это определенный резон. Она знала, что Людмила Петровна по вполне понятной причине, имея на руках разведенную дочь, очень болезненно воспринимала даже упоминание о том, что у кого-то есть законные мужья. Женщину денно и нощно грызла зависть. Она завидовала тому, что другие молодые женщины как-то выходят замуж, а некоторые так даже очень удачно выходят, в то время как у ее драгоценной Дианочки никого и на примете нет.

— Тетя Люда, а где может быть Дина?

— Откуда я знаю? У тебя надо спросить, вы же с ней вместе вчера город покорять отправлялись.

— Что же, она еще не возвращалась?

— Отчего же? Прибегала. Пару часочков поспала, перекусила, что я ей оставила, и снова убежала.

— А куда?

— Сказала, что вчера познакомилась со стоящим претендентом. И мне кажется, что на сей раз мужчина на Диану серьезно запал.

— Почему вы так думаете? — машинально поинтересовалась Анжела, пока пыталась в уме прикинуть, с кем же это они вчера могли познакомиться.

Вроде бы ни с кем, кроме рыжего и блондина, не знакомились. А они не сказать, чтобы запали на Дину.

— Кто же вам такое сказал?

— Да уж сама Динка мне так сказала.

Анжела продолжала недоумевать. Кого же удалось очаровать вчера ночью Дине?

И Анжела решила немного прояснить:

— А кто он, этот новый поклонник? Этого Дина вам не сказала?

— Тебе видней. Это ведь благодаря тебе Дине удалось с ним познакомиться.

— Благодаря мне? Как это?

— Ну ты же у нас ничего не боишься, боевая лошадь. Не то что моя Дианочка, которая всего на свете боится, от куста и то шарахается. Ты с тем мужчиной познакомилась, где вы там вчера ночью шлялись, я не знаю, да только мужчина этот на тебя внимания не обратил, одной лишь Дианочкой моей и заинтересовался. Ее пригласил, а тебе, выходит, отставка.

Анжела внимательно слушала и понимала, что Дина, скорее всего, наврала своей матери с три короба. Да, водился такой грешок за ее подругой. Своей матери она врала постоянно, иногда виртуозно, иногда, когда было лень придумывать хоть сколько-нибудь правдоподобную историю, лепила что придется, Людмила Петровна верила всему. Как уже говорилось, Людмила Петровна обожала свою дочь, а где любовь, там здравому смыслу нет места.

Разговаривать с Людмилой Петровной о ее дочери было бесполезно. Но Анжела знала еще одного человека, который хотя и был Диане тоже очень близок, разбирался в характере девушки куда лучше. Речь шла о Гермесе — брате Дины.

— Тетя Люда, а можно...

— Да вы заходите, — перебила Анжелу женщина. — В ногах правды нет. Да и мне кульки поможете занести.

Кульков у нее было немало, даже странно, как она все их дотащила. Но охота пуще неволи, а до покупок Людмила Петровна была большая охотница. Причем покупала она обычно все, на что только глаз упадет, не разбираясь, стоящая вещь или не очень. Также Людмиле Петровне было не столь важно, нужна ей эта вещь или нет, были бы деньги, чтобы их потратить. Наверное, будь у Людмилы Петровны много денег, она в одиночку могла бы поднять экономику какой-нибудь небольшой области, скупая на корню все, что производили там.

Подхватив пакеты с покупками, Анжела невольно подумала, как тут много всего.

— И зачем она все это купила? — пробормотала Анжела, занося покупки в дом.

Вопрос этот вырвался у нее чисто рефлекторно. Ведь сейчас Анжелу интересовало не это, куда больше она хотела узнать, как скоро вернется домой Гермес — брат Дины.

Наверное, и без лишних объяснений уже понятно, что матушка двух этих замечательных детей питала неискоренимое пристрастие к античным мифам, так что Диана получила свое имя в честь древнеримской богини-охотницы, которая была девственницей, предпочитая компанию существ одного с ней пола, мужчин же просто использовала в своих целях. Так что Диана — имя далеко не идеальное для девочки, которая хочет удачно выйти замуж, а потом отлично и безбедно жить до конца своих дней.

Гермес тоже был личностью в мифологии известной. Покровительствовал этот вестник богов торговле и прибыли. Но почитали его и воры. Имена заставляли Дину и Герика идти узкой дорожкой, никуда с нее не сворачивая.

Первый раз Гермес попался на краже, когда ему было всего восемь лет, стырил у одноклассницы понравившуюся ему ручку. Кража была слишком мелкой, чтобы вызвать серьезное отношение к ней общественности,

Гермесу она сошла с рук. Ручка была красивой, он загнал ее кому-то из учеников, а на вырученные деньги купил себе три порции мороженого — шоколадное, сливочное и крем-брюле, которые с удовольствием и проглотил, ни с кем не поделившись. Мороженое Гермесу понравилось. То, что оно отдавало ворованным, его не смутило. И следующая кража была уже более значительной.

Постепенно одноклассники просекли, кто у них ворует, сообщили об этом учительнице. Мать Гермеса вызвали в школу, но так как к этому времени она уже прочно утвердилась во мнении, что школа населена одними злобными ведьмами, которые к ее детям просто цепляются, то удовольствовалась объяснениями сына о том, что он невиновен аки агнец и что его специально оговаривают злые люди.

Так что к четырнадцати годам Гермес был уже опытным воришкой, иной раз покушавшимся и на другой бизнес — мелкое мошенничество, гоп-стопы или даже откровенный грабеж. Но когда он, угрожая ножом своему однокласснику, отнял у него сотовый телефон, терпение учителей лопнуло и к делу была привлечена милиция, родители ограбленного ребенка написали заявление с просьбой наказать грабителя.

Людмила Петровна немедленно начала активную работу по обелению репутации своего сына, она писала прокурору, писала в РОНО, она писала всюду, куда только могла, кляузничала, что ограбленный ученик часто болеет, страдает приступами головной боли, сомнамбулизма и вообще шизик и нуждается в специальном лечении. И как ни удивительно, но дело против Гермеса было прекращено. Родители ограбленного ребенка сами забрали свое заявление, чтобы оградить мальчика от тех потоков грязи, которые, не стесняясь, выливала на его голову Людмила Петровна.

Гермес вновь избежал наказания и окончательно уверовал, что может творить все, что ему заблагорассудится. В дальнейшем ему не раз предстояло убедиться, что это далеко не так, но прежний опыт подсказывал ему, что процент неудач все же существенно ниже, так что стоит рискнуть.

Вот этого типа и надеялась повидать Анжела, потому что точно знала: уж от кого от кого, а от любимого братца у Дины тайн точно не бывает. И не потому, что она все выбалтывала ему сама. Нигде не работающий Гермес обладал массой свободного времени, обожал шпионить за сестрицей, и кроме того, он был неглуп и умел критично смотреть на сестрицу, так что Дине нечасто удавалось обвести своего проницательного брата вокруг пальца.

— Тетя Люда, а где Гермес?

— Он-то тебе зачем? — удивилась женщина.

Гермес и Дина родились в один день и по логике вещей должны были пойти в одну школу и даже в один класс. И первые два года Гермес проучился вместе со своей сестрой и, соответственно, с Анжелой, но затем учительница взвыла и попросила перевести трудного ученика в другой класс. С тех пор Гермес так и странствовал из класса в класс.

В душе Анжела тоже недолюбливала Гермеса, потому что в ее глазах он был личностью не только пропащей, но даже опасной. Да Дина и сама не была в восторге от своего братца, уверяя, что у других людей братья — бизнесмены, помогают своим незамужним сестрам, ищут им женихов среди деловых партнеров.

— А у этого что за партнеры? Одни уголовники!

И все же Дина по-своему любила своего непутевого братца. И когда тот угодил на зону, регулярно таскала для него посылки на почту, правда, не забывая проклинать его при этом на чем свет стоит. Гермес не оставался в долгу, придумывая для Дины кучу всевозможных обидных прозвищ. И все равно они дружили между собой — эти странные брат с сестрой.

Людмила Петровна продолжала вопросительно смотреть на Анжелу:

— Зачем тебе понадобился мой Гермеска? Вы же с ним никогда не ладили!

Пришлось Анжеле соврать. Она подняла Людмилу Петровну из-за стола, за которым женщина торжественно поедала четырехсотграммовую упаковку мороженого. В семье Дины все были сладкоежками, но особенно сама тетя Люда, которая и передала своим детям эту любовь к неумеренному потреблению сладостей. Своим гостьям тетя Люда тоже положила по кусочку, по очень-очень маленькому кусочку, которые не шли ни в какое сравнение с той порцией, которую наворачивала сама хозяйка.

Впрочем, ни у кого из молодых женщин душа не лежала к угощению. Анжела к сладостям была равнодушна. А Кире с Лесей и вовсе было не до мороженого, так что они даже к нему не притронулись.

Что в свою очередь вызывало у тети Люды целую бурю возмущения:

— Ешьте, чего кочевряжитесь? Вкусно ведь.

Анжела все же заставила тетю Люду оторваться от сладкого, отойти с ней в сторону и там жарко зашептала ей на ухо:

— Эти две девушки, что со мной пришли, — они очень богатые. Может быть, одна из них придется Гермесу по вкусу, тогда вся ваша семья, и вы, и Дина, будете как сыр в масле кататься.

— Это как же?

Валяться как сыр в масле — это было заветной мечтой тети Люды, поэтому теперь, утерев рот, она слушала Анжелу очень внимательно, жадно впитывая каждое слово.

— А так... Мои знакомые мужей себе подыскивают. Увидели фотографию Гермеса, и обеим он так понравился, что сразу же захотели с ним познакомиться.

— Как про его судимости узнают, небось мигом передумают, — нерешительно произнесла женщина, но при этом явно чувствовалось, что ей самой этого бы очень не хотелось.

— Я их предупредила о судимостях.

— А они что?

— Они сказали, что всякий может оступиться.

— Да, и не один раз! Ты им об этом тоже скажи.

— Я сказала.

— И чего?

— Они все равно хотят.

— Ну и дуры!

И все же Людмила Петровна теперь поглядывала на подруг с куда большей симпатией, чем прежде. Пристроить удачно своих детей — это было ее заветной мечтой.

— Даже не знаю, что тебе и сказать. Гермеска-то у меня нынче вроде как при невесте.

— Да что вы?

— Но девка-то больно никудышная, — по-свойски поделилась с ней Людмила Петровна. — Сдается мне, что она наркоманка. И Гермеску моего, похоже, к этому зелью тоже приучает.

— Тогда надо его спасать! Он же хороший мальчик.

— Да, золотой был ребенок!

Глаза у тети Люды увлажнились. Говорить про своих детей она могла часами. И чтобы не дать ей возможности сесть на любимого конька, стащить с которого женщину будет уже затруднительно, Анжела торопливо произнесла:

— Тетя Люда, как бы нам Гермеса-то повидать?

— Дома его нет. Небось, у нее он... У этой наркоши своей.

— Пожалуйста, черканите нам его телефон. А мы уж его сами разыщем.

— Неужто прямо в притон к ним попретесь? — поразилась тетя Люда. — Не ходили бы! Не надо. Коли невесты жениха в таком болоте увидят, мигом замуж за него выходить передумают. По обеим же видно, какие они фифы!

Анжела успокоила встревожившуюся женщину, сказав, что в притон они не попрутся, а позвонят Гермесу и увидятся с ним в романтической обстановке где-нибудь в кафе или на природе. А еще лучше — в кафе на природе.

— Я знаю одно неподалеку.

— Да уж ты у нас все злачные места излазила, — не упустила случая пустить издевку тетя Люда. — Ни одно не пропустила!

«Вместе с вашей дочерью», — хотелось ответить Анжеле. Но она благоразумно промолчала, а тетя Люда написала ей телефончик своего сына, и они расстались, вполне довольные друг другом.

Напоследок Анжела решила уточнить, не говорила ли Дина, когда собирается вернуться, но Людмила Петровна лишь развела руками:

— Не было меня, когда дочь уходила. Я как в полдень по магазинам ушла, так только сейчас и вернулась.

Сильна же тетя Люда! Почти пять часов шастала по магазинам, но зато и покупок наделала целую кучу. И в голове у Анжелы неожиданно сверкнуло:

— Небось, получку получили, тетя Люда?

— Какая получка, Анжел? Ты чего? Я же на пенсии давно по инвалидности. У меня же и гипертония, и диабет.

Еще бы, столько трескать мороженого, у любого, даже самого здорового, человека сахар повысится... За то время, что они провели у тети Люды, она практически в одиночку умяла целую упаковку. А перед этим загрузила в морозильник еще три внушительных брикета.

Кстати говоря, ныне мороженое стоит денег. Как же успела заметить Анжела, тетя Люда основательно сегодня поистратилась.

И Анжела произнесла:

— Ну, хорошо, что хоть пенсия у вас приличная, на жизнь хватает.

— Кому? — удивилась тетя Люда. — Кому хватает? Мне?

— Вам. Вон вы сколько всего накупили.

«Что нужно и что не нужно», — хотела прибавить Анжела, но поостереглась. Тетя Люда иной раз очень неожиданно реагировала на критику в свой адрес. Но тетя Люда ничуть на Анжелу за ее любопытство не обиделась, а напротив.

— Так я не с пенсии шиковала сегодня! — ухмыльнулась она. — Говорю же, Дианочке моей повезло наконец нормального кавалера подцепить. Это он ей денег отсыпал, а она уж мне в свою очередь на хозяйство несколько бумажек кинула.

Ничего себе! По самым приблизительным подсчетам Анжелы, которая лично наблюдала за процессом выгрузки продуктов из пакетов, тетя Люда только продуктов купила тысяч на пять. И все недешевые: икра, балык, сыр, хорошее сливочное масло, итальянские макароны и еще много всего. А в тех сумках, которые тетя Люда поставила в угол, чтобы разобрать после без помех, явно были какие-то вещи и одежда. Допустим, еще столько же, еще пять тысяч.

Откуда же у Дины взялась как минимум десятка, если еще недавно Анжеле приходилось всюду платить за подругу?

Получалась в высшей степени странная картина. Вернувшись домой, Дина рассказывает о каком-то кавалере, появившемся у нее невесть откуда, потому что сама Анжела ничего такого не наблюдала. И ведь не просто появился кавалер, он еще и денег Анжеле дал. А за какие такие заслуги? И кто этот таинственный доброхот? Неужели, пока Анжела отстирывала пиджак в ванной комнате, Дина за какую-то услугу вытрясла из рыжего и блондина деньги, а матери наврала, что деньги ей подарил щедрый поклонник?

Конечно, тетя Люда — дура и верит всему, что натреплет ей Дина. Но Анжела прекрасно понимала, что вся ситуация выглядит, мягко говоря, очень странно. Даже если у Дины по пути от Анжелы до дома и появился кавалер, то с чего ему тут же дарить Дине деньги? Разве что она сама их у него попросила. Но опять же, когда Дина успела так втереться мужику в душу, чтобы он принялся осыпать ее золотым дождем?

— А когда Дина сегодня вернулась?

— Да уж позденько, часов десять было.

А от Анжелы она ушла около пяти утра. Где же Дина провела все это время? Это ведь целых пять часов получается! Пять ранних утренних часов... Да еще после бессонной ночи, когда только и мечтаешь, чтобы завалиться спать. Если Дина этого не сделала, значит, у нее был какой-то очень веский повод. И повод мог быть лишь один — мужчина! Перспективный мужчина, ради которого Дина была готова отказаться даже от отдыха.

— Неужели и впрямь шаталась по улицам с каким-то новым кавалером? — рассуждала Анжела сама с собой, когда тетя Люда вернулась к своему мороженому. — Вот шлёндра эта Динка! И когда только успела? И главное, все ноет, что никакой личной жизни. Все мне завидует. А чему завидовать-то? Мне бы ее прыть!

Анжела не знала, что и думать. И откровенно говоря, она теперь сомневалась и в том, что Гермес сможет помочь. Если он ошивается у своей подружки-наркоманки, а дома появляется изредка, вряд ли он был в состоянии проследить за утренними перемещениями своей сестры.

Глава 4

Спускаясь вниз по лестнице, потому что лифт был занят, подруги услышали старческое кряхтение, а затем увидели пожилого мужчину, который с видимым трудом карабкался наверх, цепляясь, словно из последних сил, за деревянные перила.

В отличие от Леси с Кирой, которые просто посторонились, пропуская бедолагу, Анжела с радостным возгласом подскочила к нему:

— Дядя Володя!

Мужчина остановился на ступеньке, перевел дух, отчего вокруг распространился стойкий аромат сивухи, и взглянул на девушку:

— Анжелка! Ты, что ли?

— Я, дядя Володя!

— Давненько ты у нас не показывалась.

Дядя Володя стоял на своих двоих не совсем твердо и для надежности придерживался за перила. Предосторожность отнюдь не лишняя, потому что дядю Володю порядком штормило. Но на Анжелу он поглядывал с явной симпатией.

— Давно, давно я тебя не видел, — повторил он.

— Всего пару месяцев меня и не было.

— К Динке приходила, что ли?

— К ней, — кивнула головой Анжела. — Только не застала и вот ухожу.

Дядя Володя, казалось, был в курсе.

— И правильно, — кивнул он головой. — Рано ее сегодня и ждать нечего.

— Почему? — насторожилась в ответ Анжела. — Вы что, знаете, куда она пошла?

— Так, а чего тут не знать? С кавалером она унеслась.

— С кавалером? Каким кавалером?

— А кто ж его знает, с каким, — хмыкнул дядя Володя, который был сухощавым мужичком лет шестидесяти, слегка сутулым. — Он мне не представился.

— Но вы его видели?

— Ага, — кивнул головой мужчина, но тут же смутился: — То есть нет.

— Как это понимать, дядя Володя? То да, то нет?

— А так и понимай!

Было видно, что он сердится, но сердится, похоже, не на Анжелу, а на кого-то другого.

— Приехал, понимаешь, — сварливо произнес он, — барин какой! И Динка твоя тоже та еще дрянь!

— А что она вам сделала?

— Что мать ее, корова ненасытная, что она сама — воображуля кривоногая. Да еще братец у них уголовник и вор — подружку себе нашел наркоманку, к ним наркоманы толпами со всего района валят, наркоту у них покупают! Вот какие мне соседи попались! Живу с ними и мучаюсь. Каждый день как кошмар начинается. Тут хочешь не хочешь, а все одно в запой уйдешь.

И дядя Володя чуть ли не слезу утер. Видно, что переживал за свою нелегкую жизнь.

— И за все эти мои страдания неужели, спрошу я тебя, неужели я сотенной не заслужил?

— Да что вы! — воскликнула Анжела, чувствуя, что нужно проявить сочувствие к мужчине, так как это может быть полезным для дела. — А что за сотенная-то, дядя Володя? Она вам очень нужна? Может, мне вам ее дать?

Глаза старого пьянчужки блеснули.

— Да не надо мне от тебя ничего! — воскликнул он. — Это я нарочно, чтобы мымру позлить, так сказал.

— Какую мымру?

— Динку твою!

— А как же вы ее этим разозлили?

— Любопытно тебе? Расскажу.

Чувствовалось, что обещание Анжелы насчет соточки дядю Володю приободрило. Несмотря на то что он отказался, ему было приятно. Как говорится, дорог не подарок, дорого внимание.

Дядя Володя набрал в легкие побольше воздуха, затем выдохнул, отчего запах сивухи, и так витающий на лестнице, еще больше усилился, и снова заговорил о своей нелегкой доле, которая заставила его жить бок о бок с жуткими мегерами, чертовой семейкой, двумя чокнутыми садистками и одним извергом. События изобиловали подробностями о таких изощренных злодеяниях соседей, по сравнению с которыми плевок в суп или горсть соли могли бы показаться сущими детскими шалостями.

Этот этап военных действий обеими сторонами был перейден уже много лет назад. И военная баталия давно перешла на новый уровень. Никто из соседей уже много лет подряд даже и помыслить не мог о том, чтобы оставить на кухне без присмотра свою еду, готовящуюся или уже готовую. Иначе блюдо обязательно было бы испорчено.

В ход шло все. И перерезанные провода у микроволновки, и испорченный шланг стиральной машины, и даже выкрученные лампочки в туалете. Выкрученные Диной специально для того, чтобы дядя Володя не мог пойти и облегчиться при свете, как уважающий себя человек, а делал бы это впотьмах и чуть ли не на ощупь.

— Даже в туалет меня не пускает! — жаловался он. — Говорит, если ты на унитаз не скидывался и краску не покупал, то нечего тебе комфортом пользоваться.

— Что? — невольно поразилась Анжела. — И унитазом вам не разрешала пользоваться?

Даже Кира с Лесей примолкли и уставились на этого старика, на время забыв о своих пропавших мужчинах.

— Лампочки в туалете и ванной каждый день выкручивала. И ведь не лень ей было, — то ли жаловался на соседку, то ли восхищался ею дядя Володя. — Ведь каждый раз сама лазила вкручивала, ссали они при свете, а потом на весь день уходили и лампочки всякий раз выкручивали. Чтобы мне, значит, в потемках пришлось бы свои дела делать.

— А вечером как же?

— Вечером, когда они с матерью возвращались, Динка лампочку опять вкручивала! — чуть ли уже не радостно подтвердил дядя Володя. — Ты представь только, какое насекомое? Да?

Анжела покачала головой.

— Мне трудно судить. Наверное, вы ее тоже здорово допекли.

— Выпить водочки я люблю, — признал очевидный факт дядя Володя. — Один у меня недостаток. А у соседей моих их тыща! Неужели не знаешь? Динка говорит, вы в школе вместе учились. Выходит, не разглядела, что она за фрукт?

— Я с Диной в школе не дружила. Мы с ней только последние года два-три как сблизились, да и то постепенно сходились. И со мной она всегда была милой. Конечно, она рассказывала, что недовольна, что вы не хотите скидываться на ремонт квартиры, но...

— Так милая моя! — воскликнул дед. — Я бы и рад скинуться на их ремонт, да с чего мне скидываться-то? Пенсия у меня маленькая, а что выпить я на эти деньги люблю, так каждый на моем месте запил бы или их бы давно придушил.

— Даже так? — поразилась Анжела. — Но тогда вам надо разъезжаться! Срочно!

— Так пытаемся. Мне и дочь то же самое твердит. Уезжать тебе надо, папа, говорит.

— И за чем же дело стало?

— Соседи мои! В них вся загвоздка!

— Они хотят уехать, вы хотите уехать, в чем загвоздка-то?

— Квартиру мы всю целиком на продажу выставили, так всем выгодней получиться должно.

— Если должно, почему же не получается?

— Да они всякий раз такую цену за квартиру заламывают, что все покупатели от нас шарахаются. И опять ко мне претензии: «Почему на ремонт квартиры не скидывался, сейчас бы мы ее с ремонтом дороже продали». Будто я виноват, что они от жадности своей уже не видят, где черное, а где белое.

— Да, трудно вам живется, дядя Володя, — пожалела его Анжела.

Старику ее слова были словно бальзам на сердце. Он снова взглянул на Анжелу с симпатией и сказал уже куда тише:

— Ну а про ту соточку я тебе так скажу... Не нужна она мне была, я специально того хмыря подкараулил.

— Какого хмыря?

— А хахаля Динкиного. Она с ним в загул собиралась на весь вечер, а то и на ночь отправиться. Вот я и решил ей настроение немного испортить.

— На всю ночь, говорите? — протянула Анжела. — Странно. А нам Людмила Петровна ничего про это не сказала.

— Так она, наверное, и не знала ничего. Ей Динка набрехала, что мужчина этот очень серьезный, положительный, в ней крайне заинтересован, холостой, может, и замуж позовет. Ну, Люда и растаяла. Она спит и видит, как бы ей дочь выгодно пристроить. А сам я слыхал, что подружке Дина совсем другое говорила.

— А что другое?

— Говорила, что всем хорош мужчина, да только женат.

— Женат?

— Ага. И жену свою очень любит, разводиться не будет, но вот насчет денег — это он не жадный.

Анжела задумалась. Женаты были их с Диной сегодняшние гости. Выходит, Дине все-таки удалось подцепить кого-то из двух их гостей? Вот интересно, кто это был? Рыжий или блондин? И как они встретились с Диной? Пока Анжела застирывала пиджак, взяли у Дины телефон? Или все-таки появился кто-то третий?

— А ребенок у него есть?

— У кого?

— У хахаля Динкиного.

— Про ребенка она ничего не говорила.

Кира и Леся, которые тоже с волнением прислушивались к разговору, невольно вздохнули посвободнее. Значит, все-таки не Лисица. Не то чтобы подруги всерьез опасались, что кто-то из их мужей окажется тем самым «хахалем», но беспокойство все же присутствовало.

А между тем Анжела вновь подступилась к дяде Володе:

— А что еще знаете про этого хахаля?

— То, что наглый он больно. Стекло в иномарке тонированное, он его даже не опустил, когда я к машине подошел. Три раза стучал, пока он щелочку соизволил приоткрыть, да такую маленькую, что через нее ничего и не видать. Сидит там у себя в машине, словно барин, и цедит мне так презрительно: «Чего тебе надо?» Представляешь? Мне, старому человеку, — и на «ты»! Может, я и люблю иногда немножко за воротник залить, но в тот момент, прошу тебя отметить, я был совершенно трезв!

Старик явно был человеком непростым. Наверное, Дине и ее матери тоже доставалось от их соседа.

А дядя Володя продолжал:

— Что, говорю, мне может быть от вас нужно? Вижу, говорю, человек вы небедный, машина вон у вас какая красивая. Дайте соточку на пиво бедному человеку, а я вас добрым словом помяну. Помогите, голова гудит, а денег на лекарство нету!

— И он вам дал?

— Через стекло просунул. Опускать не стал, а чуть приспустил и оттуда двумя пальцами подает.

— Вы его видели?

— Да какое там! Говорю же, разве через такую щель чего увидишь? Да еще он и башку-то совсем низко опустил, и в сторону отвернулся.

— И что? — с нетерпением воскликнула Анжела. — Блондин был за рулем или рыжий?

— С чего ты взяла? — удивился дядя Володя. — Почему блондин? Почему рыжий? Чернявый был затылок. Я даже сначала подумал, уж не Гермеска ли за сестрицей прикатил? Но нет, Гермеска тощий, а этот здоровущий кабан был.

— Значит, вы его рассмотрели?

— Только пальцы. Не пальцы, а сосиски. И все волосами поросли. Да еще перстень с камнем. Гермесу такой только присниться может.

Анжела машинально переспросила:

— Перстень? Какой еще перстень?

— Здоровущий такой, как шайба. Золотой. А в середине черный камень, а на нем вроде как инкрустация сделана.

— А вы не видели какая?

Анжела и сама еще не знала, будет ли толк от ее расспросов. Поможет ли рассказ дяди Володи найти мужей этих двух женщин или нет. Но если он прольет свет на то, где искать сейчас Дину, то какая-то польза им всем от разглагольствований дяди Володи должна быть.

— Перстень я очень хорошо рассмотрел. А картинка была такая: два циркуля, один раструбом вниз смотрит, другой наверх, золотые оба на черном камне. А в середине крупный брильянт.

— И вы все так хорошо запомнили?

— Что же не запомнить, если прямо перед носом у меня этот перстень был? Когда он мне пятитысячную протягивал.

— Вы же говорили, что соточку? — удивилась Анжела.

— Просил я у него соточку, верно, а протягивал он мне пятитысячную.

Анжела изумленно смотрела на дядю Володю и качала головой:

— Повезло вам.

— В чем?

— Такие деньги вам подарили.

— Подарили, — горько хмыкнул Володя. — Как бы не так! Не удалось мне разбогатеть.

— Почему?

— Подружку твою спросить надо любезную. Ноги бы ей выдернуть, шалаве этакой! Вышла в этот момент из дома, деньги прямо у меня под носом из рук этого человека выхватила и кричит: «Ничего ему не давай, он пьяница и нам за ремонт очень много должен!»

— Так вы же не делали ремонта?

— Ну все равно что-то им приходилось менять. Без унитаза ведь сидеть не будешь? И ремонт в ванной они сделали, чтобы мыться не так страшно было. Но только они и все места общего пользования хотели отремонтировать.

— Но это нормальное желание.

— Да они это свое желание за мой счет организовать хотели, — возразил дядя Володя. — Мне-то никакой ремонт на хрен не нужен. Я и без ремонта живу как мне нравится. Для меня, хочешь знать, в темноте поссать — это вообще не проблема. Это она, дура, себя наказала! Каждый день гимнастикой заниматься приходилось. Вверх-вниз, вверх-вниз, стремянку принеси, стремянку унеси, стремянку разбери, стремянку убери... Небось не потолстеешь, людям гадости делая.

Дина и впрямь была худенькой. Но Анжела постаралась вывести разговор в прежнее русло:

— А что про пять тысяч-то?

— Не взял я их! — воскликнул дядя Володя с плохо скрытой досадой. — Не успел! Динка перехватила их у меня. Машину быстро с другой стороны обежала, юла, да и запрыгнула в кузов.

— В салон?

— Ага, внутрь, — подтвердил дядя Володя. — И укатили! А я стоять остался. И такое меня зло взяло, что прямо хоть пропасть. Что же это, думаю, такое делается? Что за жадность этих баб такая обуяла? Ну что я им сделал? Пью? Но я ведь тихо пью. Дома в комнате закроюсь, меня они пьяным и не видели никогда. Друзья ко мне никогда не ходят, боятся этих ведьм. Жена бывшая иногда заглядывает, такая же стерва, если честно сказать. От нее убег, к другим еще хуже попал. Жена моя немного с моими тутошними мегерами дружит. Даже не то что дружит, но пытается мосты навести.

— А вы уже не пробуете?

— Да ну их к лешему! И Динку, и ее мать! Но чтобы прямо перед носом выхватить у меня деньги, которые ей не принадлежат, это уже чересчур!

Анжела молчала. Что бы еще спросить у болтливого деда, оказавшегося таким неожиданно полезным?

— А что за машина была?

— Белая, — охотно откликнулся дядя Володя. — Внедорожник. «Ауди».

— Ого, — оценила Анжела. — Может, вы еще модель и номер запомнили?

— Номер у него крутой: А001ХО. А модель Q7. Этот же хмырь сегодня утром Динку около десяти утра привез, а потом где-то около двух часов дня снова за ней заехал. Динка его уже ждала. Даже спать не легла, как матери наврала. Все по квартире шагала, его поджидала. С подружками трепалась, хвасталась, какую жирную рыбку поймала. А мать свою специально за покупками сплавила, чтобы та ничего не слышала. Еще и денег ей дала, и много — двадцать тысяч!

Анжела слушала и не слышала кляуз дяди Володи. Другая мысль билась у девушки в голове. Белая «Ауди» — внедорожник! Так ведь это же та самая машина, которая сегодня утром забрала рыжего и блондина! Выходит, это с ними провела все утро ее бедовая подружка? Но почему Анжеле она ничего об этом не сказала?

Или машина была какая-то другая, просто похожая? Нет, не может такого быть, чтобы это было просто совпадением. Не могли Динке дважды за один и тот же день попасться две похожие белые «Ауди». Или могли? Но если это та самая машина, то как же Дина ее разыскала?

И Анжела принялась вспоминать поведение Дины сегодня утром, когда они прощались. Ох, неспроста Анжеле показалось поведение Дины странным. Хотя бы вспомнить, как она от Анжелы рванула. Ни остаться не захотела, ни такси не вызвала. Похоже, ее подружка услышала от рыжего или блондина или от обоих разом какое-то очень соблазнительное предложение. Потому сразу и убежала от Анжелы, едва только эти двое покинули их двор.

Небось у них была встреча назначена за углом. А почему Дина хотела это от Анжелы утаить, тоже понятно. Анжела ее всю ночь на свои поила, кормила и развлекала, а как с кавалерами кататься, так она одна умотала.

Но тут же Анжела покачала головой, возражая самой себе. Нет, не похожи те двое были на заинтересовавшихся Динкиными прелестями. Едва смотрели на нее. Да и на саму Анжелу, если честно, тоже не очень-то смотрели. Все больше друг с другом переглядывались. И все же какое-то предложение от них Динке поступило. Ну неспроста же она так быстро от нее в пять утра умотала, а дома только в десять появилась. Пять часов где-то каталась! На белой «Ауди». И не одна!

И тут Анжелу осенило. В машине был еще кто-то третий! Шофер! Чернявый. Наверное, это он и стал ухажером для Динки. Видимо, пока Анжела возилась в ванной, блондин и рыжий позвали с собой Дину, чтобы она составила компанию их чернявому приятелю, заехавшему за ними на белой «Ауди». Зачем им это было нужно, дело десятое. Сейчас важно понять, где и у кого искать Дину.

Пока Анжела рассуждала про себя, дядя Володя подвел итог своему рассказу:

— А мужик этот просто до неприличия богатый был. Потому что я сам своими ушами слышал, как Динка подружке по телефону хвасталась, что мужчина этот бабками сорит, словно мусором. Что у него прямо в машине сумка стоит, до самого верху полная пятитысячными банкнотами. И что Дине он дал целых пятьдесят тысяч, и еще даст, и очень много, если она у него попросит.

Анжела снова покосилась на Киру с Лесей. В курсе ли они сами, какие богатые друзья есть у их мужей? Но что Кира, что Леся — обе женщины стояли с одинаково изумленными лицами. Похоже, разъезжать по городу с битком набитыми деньгами сумками — такого в заводе ни у них, ни у их мужей не наблюдалось.

Попрощавшись с дядей Володей, подруги пошли вниз. А вот Анжела еще немного задержалась, чтобы сунуть пьянчужке пару сотенных бумажек. Дядя Володя делал вид, что брать деньги не хочет, но Анжела настояла, сказав:

— Это вам в качестве моральной компенсации за поступок Дины.

После чего поспешила вниз, где Анжелу с нетерпением уже дожидались ее новые знакомые — Кира и Леся.

Конечно, все уже узнали в этих двух молодых женщинах наших веселых подруг, умелых сыщиц и просто хороших людей — Киру и Лесю. Но тут надо объяснить, как получилось, что, вместо того чтобы сидеть у себя дома в «Чудном уголке» и наслаждаться безоблачным семейным счастьем, две подруги мотались по городу в поисках своих мужчин, озабоченные и несчастные.

Предчувствие чего-то ужасного, какой-то непонятной грядущей беды появилось у Киры с Лесей не сегодня и даже не вчера. Проблемы начали подваливать одна за другой постепенно, словно подготавливая подруг к тому, что скоро их будет еще больше, они станут нарастать, как снежный ком, и можно только надеяться, что этот ком не похоронит под собой их дом, весь уклад жизни или... или даже саму их жизнь.

Первые ласточки — вестницы больших неприятностей появились много месяцев назад, когда работы у Эдика и Лисицы внезапно прибавилось. Они и всегда работали, не считаясь с субботами, воскресеньями и праздничными днями. Если служба требовала, чтобы мужчины пришли на работу к восьми утра первого января, то поднимались в шесть и ровно в восемь были на своем рабочем месте или в любом другом месте, куда приказало явиться их начальство.

Руководителем Эдика и Лисицы был старый генерал разведки по прозвищу Таракан, которое он получил за свои длинные, торчащие в стороны усы. Таракану было скучно в отставке, тем более что организованный его трудами и заботами «Чудный уголок» теперь уже не нуждался в постоянной опеке и мог функционировать без пристального внимания со стороны генерала — учредителя.

Таракан был военным до мозга костей, он служил всю жизнь. Даже сейчас, будучи человеком преклонного возраста, продолжал дело защиты страны. И если еще несколько лет назад словосочетания «защита Родины, служба на страже интересов Отечества» могли вызвать у кого-то на губах ироничную улыбку, то теперь улыбаться никому и в голову не приходило. А самих Эдика и Лисицу все чаще и чаще вызывали на службу во внеурочное время, мужчины иногда и домой не возвращались ночевать, ели и спали прямо на работе или где они там находились — подругам это было неизвестно.

Кира с Лесей еще так сильно дергались потому, что никогда точно не знали, чем в данный момент занимаются их мужчины. Все, что касалось службы их мужей, теперь находилось под грифом «Совершенно секретно». И если раньше они знали, что Лисица возглавляет компьютерную службу в отделе, то сейчас Кира с Лесей могли лишь предполагать, что он занимается все тем же, но в чем конкретно заключались получаемые от Таракана задания, подруги не знали и даже догадаться не могли.

И несмотря на близкое соседство (Таракан жил всего в нескольких домах от них, тут же, в «Чудном уголке»), давнее знакомство и то, что старый генерал относился к ним почти как к родным дочерям, подруги все же никогда не могли с уверенностью сказать, правда ли то, что сказал им старый разведчик о том, где сейчас находятся Эдик с Лисицей, или ложь.

Для Киры с Лесей, которые привыкли быть в курсе всего, что происходит с их мужчинами, такое положение дел было сущей пыткой. Наверное, не будь у них малыша Славки, родившегося у Киры с Лисицей, они бы совсем спятили от многочасовой, а иногда и многодневной неизвестности, которая теперь стала для них обычным делом.

Но ребенок здорово их отвлекал от тяжелых мыслей. Славка был непоседливым, очень жизнерадостным малышом и, конечно, требовал к себе много внимания.

Однажды, когда Славка, оставленный без присмотра буквально на несколько минут, умудрился пробраться на кухню, Кира даже воскликнула:

— Скорее бы уж он пошел в садик!

Но ее можно было понять. В кухне, куда Славке было строго-настрого запрещено заходить одному, был устроен настоящий погром. Славка проник на запретную территорию и похозяйничал там от души, свернул все что мог и сам едва не пострадал.

К тому, что ребенок постоянно выгребает из шкафов все, что в них есть, подруги давно привыкли. Замки не помогали, потому что Славка отличался завидным свободолюбием. Замки вызывали в нем настоящую ненависть, он стремился их уничтожить в принципе. И с упорством, достойным лучшего применения, Славка при каждом удобном случае дергал дверцы шкафов изо всей силы. И делал он это до тех пор, пока что-нибудь не ломалось.

Так что, дважды сменив ручки, подруги пришли к выводу, что лучше уж они вообще забудут про замки, а внизу, в пределах досягаемости Славкиных цепких пальчиков, оставят лишь те предметы, которые никак не способны навредить малышу. И в тот же день счастливый до невозможности Славка стал обладателем целой коллекции кастрюль, сковородок и прочей небьющейся бытовой утвари. Теперь он мог сколько угодно ползать по дому с кастрюлей на голове и вооруженный половником или толкушкой для пюре.

Но когда это резвое чудо догадалось, что можно к столу подставить табуретку, а к табуретке — маленькую скамеечку и что с помощью такой лесенки можно забраться на стол и проверить, что же хранится у мамы и тети на втором уровне шкафов, терпение Киры лопнуло. Услышав шум, она вбежала в кухню как раз в тот момент, когда Славка уже падал на пол, увлеченный тяжелой банкой с крупой. Кира сделала огромный рывок и успела подхватить сына. Банке повезло значительно меньше, она упала и разбилась с таким грохотом, что Славка испугался и расплакался.

К тому же ему еще досталось от матери, Кира была и сама здорово перепугана. Вот тогда она впервые и произнесла фразу про садик, которую ей с тех пор приходилось произносить все чаще и чаще. И еще она при этом неизменно добавляла:

— Был бы дома отец, мальчишка не посмел бы так себя вести.

И действительно, в присутствии отца малыш вел себя безупречно, словно понимал, что при папе нужно быть тихим и послушным. Усаживался на коврике у ног отца и спокойно играл своими кубиками.

— На что ты жалуешься? — удивлялся Лисица. — Замечательный мальчик, послушный, тихий. Я бы даже сказал, очень тихий.

— Ты бы видел, как этот замечательный и тихий ребенок сегодня целый день охотился на кошек! И это он еще не умеет ходить. Так он ползком загнал Фантика с Фатимой на шкаф и караулил в засаде, когда они спустятся.

— Вот видишь, он на редкость усидчивый. А насчет кошек... им не помешает немного размяться. Что-то они стали слишком уж ленивы в последнее время.

— Наверное, потому, что по кошачьим меркам им на двоих исполнилось двести лет? Может быть, поэтому они не так резво двигаются теперь? Они не заслужили того, чтобы их кошачья старость превратилась в ад по вине нашего с тобой ребенка!

— Я поговорю с ним.

Но разговоры ни к чему не приводили. То ли Славка был еще слишком мал, чтобы понять отцовы наставления, что к животным надо относиться дружелюбно и не доставать их, то ли Славка считал, что не делает ничего плохого, но своего поведения он не изменил и охоту с половником на кошек не прекратил. Все же, когда Лисица бывал дома, Славка и впрямь вел себя тихо и от отца никуда надолго не уходил. Все остальные в это время могли спокойно отдохнуть, и конечно, Кире хотелось, чтобы такие периоды затишья случались у них почаще.

Увы, сбыться ее мечтам было не суждено. Муж дома все реже появлялся, перестал приходить и по ночам. Терпение Киры лопнуло.

И она заявила:

— Выбирай, либо ты мне рассказываешь, чем занимаешься, либо можешь вовсе не возвращаться со своей службы!

Напрасно Лисица взывал к голосу гражданской ответственности своей жены, напоминал ей о том, в каком ведомстве он служит... ведь сама Кира настаивала на том, чтобы он остепенился и занялся серьезным делом.

— И вот теперь, когда я выполнил все твои требования, ты выдвигаешь мне глупые ультиматумы. Стыдно, Кира! Не так должна вести себя жена офицера!

Кира в ответ лишь пригрозила:

— У тебя скоро никакой жены вовсе не будет!

И Лисице пришлось уступить. Потерять жену для него было просто невозможно. Он любил свою Киру, да и маленького Славку тоже. К тому же он знал, что на Киру можно положиться. Жена не из болтливых.

— Мы с Эдиком иногда не приходим ночевать домой, потому что у нас очень много работы.

— Это я и сама могла догадаться. Чем вы занимаетесь?

— Мы выслеживаем очень опасных людей. Поверь мне, Кира, они настоящие фанатики. Такой злобы, какая бушует в этих людях, мне видеть еще не приходилось.

— Но кто они такие?

— Чужаки.

Этим объяснением Кире и пришлось удовольствоваться. Больше Лисица ничего не мог ей рассказать. Прошло какое-то время, и Кира почувствовала приближение опасности. Обычную тревогу она уже давно научилась отличать от подлинного сигнала беды. Но вчера вечером прозвучавший телефонный звонок с приказом срочно Лисице явиться на службу заставил ее буквально похолодеть. Кира знала за собой такую особенность, когда надвигалось что-то очень плохое, она леденела и цепенела вся до кончиков пальцев, а внутри образовывалась странная пустота.

Как обычно, она тут же вскочила и подбежала к Лисице:

— Куда ты идешь?

— На службу, глупенькая. Да не ревнуй ты, вот и Эдик со мной тоже идет.

— Но почему сегодня?

— А почему нет?

— Пятница! Вечер! И вы оба только что вернулись домой!

— Значит, снова понадобились.

И, отцепив руки Киры от себя, Лисица взглянул на нее с сочувствием:

— Я знаю, ты волнуешься за меня.

— Это еще очень мягко сказано.

— Но я обещаю тебе, что все будет хорошо, — тепло произнес муж. — Ты же знаешь, такая уж наша работа.

Кира молча кивнула. Сил, чтобы говорить, у нее не было.

— Но я вернусь. Я всегда возвращаюсь к тебе, вернусь и на этот раз.

Кире пришлось отступить. Она смотрела вслед уходящему мужу, как смотрела всегда, но думала о том, что сейчас у нее на душе что-то слишком уж тревожно для того, чтобы на сей раз все закончилось хорошо. И хотя она знала, что ее слова ровным счетом ничего не изменят, она все же произнесла:

— Будь осторожен, пожалуйста!

А потом они втроем, вместе с Лесей и Славкой, махали вслед мужчинам, которые садились в машину и уезжали со двора. И лишь когда автоматические створки окончательно сомкнулись за джипом, Кира с Лесей отошли от окна. На душе у них было тревожно. Ничто их не радовало. Подруги пытались храбриться, но ситуация к этому не располагала. Фантик и Фатима, две их старые кошки, выглядели какими-то пришибленными и больными. Они и так-то были далеко не первой молодости, а сегодня вечером почему-то и вовсе выглядели так, словно одной лапой уже стоят в могиле.

И даже Славка, казалось, что-то понимал, потому что капризничал, не хотел ложиться спать, а потом всю ночь плакал и жалобно вскрикивал в своей кроватке. Кира измучилась вставать к нему. Леся тоже не спала. Вдвоем они по очереди убаюкивали малыша, и в конце концов Славка все же затих и вскоре заснул. Но у самих подруг спокойствия не наступало. И заснуть они тоже не смогли.

Глава 5

Анжела выбежала из дверей подъезда и огляделась по сторонам. Где же ее новые приятельницы? Ага, вон стоят, обсуждают что-то. И если судить по озабоченным лицам, обсуждение это носит не слишком-то приятный характер.

— Ну что? — подошла к ним Анжела. — Помогла я вам?

Кира с Лесей повернулись к ней, глядя на нее с каким-то сомнением. Казалось, они хотят ей что-то сказать, но не вполне уверены в том, что стоит это делать. Анжела как-то смутилась от их взглядов и, чтобы скрыть свое смущение, произнесла:

— Думаю, что Дина уехала на той же машине, которая подобрала и ваших мужей от моего дома. Во всяком случае, они очень похожи. Я видела белый внедорожник, а ведь «Ауди» этой модели как раз и есть внедорожник.

Женщины задумались:

— Да, в этом есть определенный смысл. Скорее всего, это и впрямь была одна и та же машина.

— И вы знаете владельца этой машины?

Обе женщины покачали головами. Нет, они не знали владельца. И сама машина тоже была им не знакома.

— Тогда я даже не знаю, — растерялась Анжела. — Я записала для вас номер этой машины. Поспрашивайте у знакомых ваших мужей, кто-то должен найтись, кто знает про эту машину и ее владельца. Вот! Держите!

И Анжела протянула им бумажку, на которой был четко написан номер машины, увезшей Дину. Также тут был изображен перстень владельца машины. Тот самый перстень с таинственной эмблемой в виде двух раскрытых циркулей. Эту эмблему Анжела тоже старательно изобразила на бумажке, уточняя у дяди Володи подробности. Она не успокоилась, пока не выполнила рисунок достаточно четко, так что дядя Володя удовлетворенно кивнул головой и похвалил ее:

— Тебе бы художницей быть! Прямо из головы у меня взяла. Точно так этот перстень и выглядел. И форму, и даже размер ты угадала.

Анжела кивнула головой, польщенная его похвалой. Впрочем, она и сама знала, что неплохо рисует.

— Мне об этом все говорят.

— Училась где? — заинтересовался дядя Володя.

— Нет.

— А зря! Ты учись, верно тебе говорю, понравится.

Анжела отмахнулась:

— Поздно мне уже учиться, дядя Володя.

— Учиться никогда не поздно.

— Я уже одно образование получила, работаю.

— И как? Нравится тебе?

Анжела задумалась.

— Ну, работа как работа. Платят прилично, на жизнь и развлечения мне хватает. Тепло, светло, офис, чего еще надо?

— А надо-то как раз не так! — возразил дядя Володя, глаза которого неожиданно блеснули. — Надо, чтобы работа для человека счастьем была! Чтобы он засыпал с улыбкой, думая о том, что после приятного отдыха его ждет любимая работа. Вот только тогда человек и бывает полностью счастлив. И не важно, что это за работа. Баба может и про пироги мечтать, которые она с вечера поставила.

И внезапно поникнув головой, дядя Володя пробормотал:

— Думаешь, к чему я тебе все это говорю? Я ведь, может, и пить начал после того, как на пенсию вышел. Хотел бы назад, да там молодые. Мне места нет. Отдыхайте, говорят, Владимир Сергеевич, заслужили. А мне эта пенсия... она мне вот где!

И дядя Володя показал на свое горло.

— От скуки всякая дурь из людей лезет! — заявил он. — Всякая глупость и пакость, она ведь от безделья рождается. Когда человек любимым делом занят, ему некогда думать, чем бы другим навредить.

— А если у него работа — другим вредить?

— Тогда это и не человек вовсе, — ответил дядя Володя.

Вид у него при этом был важный, как у философа, который произнес удачную речь и знает, что она имела успех у его слушателей. Анжела слушала дядю Володю с раскрытым ртом, но вовсе не по той причине, которая возомнилась тому. Анжела надеялась уловить момент, когда сможет задать последний вопрос и наконец попрощаться с пусть и полезным, но таким болтливым свидетелем.

И подходящий момент настал.

— Дядя Володя, а вы не слышали, когда Дина собиралась домой вернуться?

— Вроде как вещи собирала, чтобы с ночевкой ехать, — произнес дядя Володя. — Может, и вовсе сегодня не вернется.

И при этих его словах Анжела впервые ощутила тревогу, пока еще неясную и туманную, но звоночек у нее в душе все же прозвенел. Дина укатила и пропала из эфира, как укатили и исчезли их утренние знакомые — рыжий и блондин, оказавшиеся совсем не Антоном и Андреем, а Эдиком и каким-то Лисицей. Интересно, почему его так прозвали? Неужели только за рыжие волосы? Что-то подсказывало Анжеле, что не в них одних тут дело. Было что-то лукавое и очень живое во взгляде этого рыжего. Чувствовалось, что такой и в огне не сгорит, и во льду не застынет. И верткий, словно ртуть. Досталось же кому-то такое чудо!

Анжела снова взглянула на своих новых знакомых, которые, казалось, по-прежнему пребывали в смятении. И так как они молчали, держа в руках бумажку с ее рисунком и номером машины, она как можно мягче сказала им:

— Девочки, я сделала для вас все что могла. Похоже, Динка укатила с приятелем ваших мужей. Номер этой машины у вас теперь есть, примерное описание ее владельца — тоже. Ищите его по своим каналам, он обязательно вам расскажет, где высадил ваших мужчин.

И так как Кира с Лесей все еще безмолвствовали, она воскликнула, словно эта мысль ей только что пришла в голову:

— А может, они еще до сих пор с ним катаются! Мало ли что они на ваши звонки не отвечают, мужики вообще люди странные!

Конечно, сама Анжела понимала, что слова ее звучат неубедительно. При всем своем богатом воображении не могла вот так с ходу взять и придумать, зачем рыжему и блондину до сих пор кататься вместе с крупным брюнетом, водителем белой «Ауди», и Динкой, которая хотя и умела быть милой, но дольше чем на несколько часов ее все же не хватало. После истечения этого времени подруга начинала дурить, требовать новых развлечений, бонусов вроде похода по магазинам, клуба, ресторана или на худой конец хотя бы кафе или шашлыков под открытым небом.

Ничего не поделаешь, Динка была жадной до всякого рода развлечений. Причем она была всеядна. И главным критерием тут являлось для Дины волшебное слово — «халява». Платить за себя Дина очень не любила. Она вообще не любила тратить свои деньги. Но конечно, когда деньги выдавались ей специально на кутеж или безумный шопинг, тут уж она отрывалась по полной программе. Дина была шмоточницей и любила наряжаться. Она просто обожала тряпки и дорогую красивую обувь. Но скупость и прижимистость, когда она располагала лишь своими деньгами, неизменно побеждали.

Так и не дождавшись от новых знакомых хоть какой-то реакции на свои слова, Анжела повернулась, собираясь уходить.

Но тут Кира громко произнесла:

— Постой, Анжела! Подожди!

— Что такое?

— Мы тебе очень благодарны.

— Да что вы! — смутилась Анжела. — Была рада помочь вам. Не нужно благодарностей.

— Ты замечательный человек. Но мы хотим, чтобы ты нам еще немного помогла.

— Но что я могу? — развела руками Анжела.

— Постарайся вспомнить все подробности твоего знакомства с нашими мужьями.

Анжела открыла рот, чтобы возразить, что вспоминать тут нечего, но взмолилась Леся:

— Пожалуйста! Возможно, дело идет о жизни и смерти.

— Да бросьте вы!

Анжела была шокирована ее словами, но, не желая этого показать, рассмеялась:

— Будет вам драматизировать! Ну загуляли ваши мужчины, всякое бывает. При чем тут жизнь или смерть? Вернутся.

— Нет, тут дело в другом.

— А в чем же?

Кира с Лесей переглянулись. Кажется, они все еще были в сомнениях, говорить или не говорить.

Но все же Леся произнесла:

— Не знаю, правильно ли поступаю, и тем не менее скажу: наши мужья служат в разведке.

— Ого! — оценила Анжела новость. — А вы не врете?

— Честное слово. Они оба офицеры. И вчера вечером были подняты по тревоге и из дома ушли не просто так.

— Куда ушли-то?

— Мы не знаем. Последний раз мы разговаривали с ними в восемь утра. А потом полнейшее молчание. И с тех пор, как они пропали из эфира, мы только и делали, что звонили всем, кого могли вспомнить, разговаривали со всеми коллегами наших мужей, кого знали и не знали.

Теперь в разговор вступила и Кира:

— Конечно, нам правды не говорят, твердят, что все в порядке, но по случайным оговоркам, а еще больше по интонации и голосам на заднем плане мы все же поняли, что ничего не в порядке, что у них в отделе произошло нечто непредвиденное, какое-то ЧП.

— И ваши мужья участвуют в нем?

— В том-то все и дело! Понимаешь, почему мы так дергаемся?

До Анжелы стало доходить. Но все случившееся казалось ей каким-то нереальным. Какие еще разведчики?

Эти двое казались обычными ребятами. Совсем неспортивного телосложения: один длинный и тощий, а второй маленький и толстенький.

Но когда она изложила свои мысли подругам, те принялись ей объяснять:

— В службе любой разведки есть самые разные подразделения. Наши мужья занимаются всем тем, что связано с компьютерами. В такой работе атлетическое телосложение и не нужно, там главное — мозги и знание современных технологий, умение работать с ними.

— А что же они делали ночью в «Трех корочках»? — заинтересовалась Анжела.

— И в клубе, где вы с ними познакомились, я уверена, они оказались не случайно.

— Да? Но компьютеров я там что-то не видела.

— Минувшей ночью все было не как обычно. Да и до сих пор тоже. Например, мы так и не смогли увидеться с Тараканом.

— А это еще кто?

— Руководитель наших мужей. Он живет неподалеку от нас. Так вот, его жена говорит, что он тоже исчез прошлым вечером и до сих пор не давал о себе знать.

— Тоже пропал? — ахнула Анжела.

— Возможно.

Голос Киры звучал сдержанно. Торопиться с выводами она не хотела. Вместо этого она попросила у Анжелы:

— Будь так добра, вспомни, с кем наши мужчины разговаривали в «Трех корочках» кроме вас с Диной.

— С кем?

Анжела задумалась.

— К ним подходила одна девушка...

— Что за девушка?

— Какая-то малолетняя шалава. Предлагала им познакомиться.

— А они?

— Они отказались. А потом... Потом эта девчонка вернулась за свой столик, там сидели еще какие-то девочки и с ними седой мужик. Мне даже показалось, что он сделал девочке выговор за ее неудачу.

Взрослый мужчина, который подсылал свою юную подружку, чтобы та свела знакомство с Эдиком и Лисицей? Это было подозрительно. И подруги заинтересовались:

— Ты разглядела этого мужчину?

— Нет. В баре было слишком темно. Да и сидел он в самом углу. Я его толком не разглядела. А вот девчонка была тощая, вертлявая, с длинными темными волосами.

— А потом, когда вы уходили, этот седой за вами не пошел?

— Не помню такого. Мне вообще кажется, что он ушел раньше нас. Но на улице я его не заметила.

— А еще с кем-нибудь наши мужчины разговаривали?

Анжела снова задумалась.

— Только с барменом, — произнесла она наконец. — Да, я видела, как они подошли к стойке бара и о чем-то разговаривали с барменом. Хотя, возможно, они просто заказывали себе выпивку.

— Он им что-то приготовил? Какой-то коктейль?

Анжела покачала головой:

— Нет, вроде бы нет. Я отошла от стойки бара, где они сидели, а рыжий догнал меня уже через пару минут. И в руках у него ничего не было: ни стакана, ни бокала. Возможно, он уже выпил? Если просил стопку водки или порцию виски, то такое можно проглотить и одним махом.

— От них пахло спиртным?

Анжела постаралась припомнить и была вынуждена подтвердить, что спиртным от мужчин не пахло.

— Значит, с барменом они разговаривали о чем-то другом! — сделала вывод Кира. — Но о чем? Как мы можем это узнать?

Почуяв, куда ветер дует, Анжела вздохнула:

— Ладно, я вам помогу.

— Правда?

— Поехали в «Три корочки». Я там часто бываю, так что кое-какие знакомства имею.

— Жаль, что мы раньше этого не знали, — вздохнула Леся, когда они уже сели в машину. — Ну, в смысле, про бармена.

— А что?

— Мы с Кирой сегодня уже были в «Трех корочках». Знали бы, что наши мужчины общались с барменом, попытались бы его найти еще утром.

— Слушайте, а как вы вообще узнали, где находились ваши мужики? Это они вам сказали?

— Нет, мы об этом узнали от их коллег. Случайно.

Кира не уточнила, что прежде, чем подруги получили эту информацию, им пришлось чуть ли не пять часов кряду по очереди умолять коллег Эдика и Лисицы сказать им хоть что-нибудь о том, куда подевались их мужчины. Почему, начиная с восьми утра, они больше не отвечают на телефонные звонки своих жен и почему, когда Кира и Леся несколько раз разговаривали с мужьями до этого, голоса у тех делались все более и более утомленными и встревоженными.

— Пожалуйста, скажите, что с ними! — умоляли подруги. — Где наши мужья? Они живы?

Но все было бесполезно. Коллеги дружно твердили, что Эдик и Лисица на задании, потому и не отвечают на звонки своих жен. Что у них все в порядке, волноваться женщинам совершенно не о чем. Но то, каким тоном им говорили, что волноваться нечего, как раз и заставляло подруг волноваться все сильней. Наверное, коллеги так и не пошли бы им навстречу и, несмотря на все просьбы подруг, не стали бы рассекречивать информацию, но, разговаривая с Никитой — одним из коллег Эдика и Лисицы, девушки внезапно услышали чей-то голос, который отчетливо произнес:

— В пять утра они еще были в «Трех корочках». Это нам точно известно, потому что они вызвали к этому бару такси. Кроме того, возле одного из соседних домов мы нашли жучок, который был на них. Жучок-то мы нашли, а вот самих ребят потеряли.

Конечно, эти слова могли касаться кого угодно, а вовсе не Эдика с Лисицей, но было уже далеко за полдень, и волнение подруг к этому моменту достигло уже того накала, когда они просто не могли оставаться в «Чудном уголке». Так что, поручив маленького Славку заботам тети Наташи и ее горничной Нади, которые охотно вызвались посидеть с малышом, пока его мамочка и тетушка будут пытаться вернуть ребенку его папочку и дядюшку крестного, обе подруги прямой наводкой рванули в «Три корочки».

— Там мы показали фотографии наших мужей сначала официантам, потом охраннику. Но из них только охранник работал прошлой ночью. Он и сумел припомнить, что эти двое мужчин ушли с девушкой по имени Анжела и какой-то ее подругой.

Что же, Кира с Лесей были рады и такой информации. По крайней мере, теперь они точно знали, где были их мужчины в пять утра. И знали, с какого места можно продолжать поиски. Получив адрес Анжелы, подруги рванули к ней.

И вот теперь Кира с Лесей снова хотели наведаться в «Три корочки». Они надеялись, что им там помогут выйти на след, ведущий к их мужчинам. Анжела в этом плане оказалась не самой перспективной находкой. Но возможно, седовласый с его гаремом молоденьких красоток или кто-то из работников бара сумеет быть им полезным в этом деле?

Самой Анжеле не очень-то хотелось встречаться с охранником Колей, который, оказывается, отслеживал ее перемещения. А как иначе ей было думать? Фигушки бы Коля запомнил этого рыжего и блондина, кабы не Анжела, которая ушла с этими двумя. Именно за ней наблюдал Коля, потому и запомнил ее спутников.

Анжела очень не любила, когда ее свободолюбивую натуру хоть что-то ограничивало. И потому опасалась встречи с Колей. Опасалась в первую очередь за него самого, как бы ей не наговорить парню чего лишнего.

Впрочем, когда они оказались в «Трех корочках», которые в дневное время функционировали как кафе, в вечернее — как бар, а в ночное — как клуб с дискотекой, то Анжела вздохнула с облегчением. Вместо Коли у входа дежурил другой охранник, с которым у Анжелы никаких амурных отношений не было. Во всяком случае она надеялась, что это так. Но хотя она могла и забыть.

— Бармен? — переспросил охранник, когда три девушки обратились к нему с вопросом. — Из ночной смены? Нету его.

— А где он?

— Где же ему быть? Дома, наверное.

— Дайте нам, пожалуйста, его телефон.

— Зачем вам? — насторожился охранник.

— Нам надо поговорить с ним по личному делу. Дайте нам его номер.

— Никаких номеров я вам не дам! — отрезал охранник. — Вот еще! Чтобы вы знали, Леха женат и со всякими б... не общается.

Пораженные хамским замечанием охранника, Кира с Лесей даже не знали, как им себя вести. А вот Анжела сразу просекла, что камешек про б... в ее огород. Видимо, и с этим типом у нее тоже что-то было. Вряд ли что-то серьезное, уж не такая она б..., как этот про нее думает. Если бы они переспали больше двух раз, она бы уж его запомнила. Обычно второй раз Анжела встречалась лишь с теми мужчинами, которые хоть как-то проявили себя в первую ночь.

Но почему все мужчины так консервативны? Почему, если женщина меняет мужчин когда и сколько захочет, то она обязательно б...? А вот если то же самое делает мужчина, то он мачо и красавец?

— Пойдемте, — потянула она своих новых подруг за собой. — Не будем разговаривать с этим долдоном. У меня есть мысль, как нам раздобыть телефон бармена.

Мысль Анжелы была проста, как все гениальное. Смирив свое нежелание общаться с Колей, она позвонила охраннику, который тут же снял трубку и радостно воскликнул:

— Анжелка, а я уж и не думал, что ты мне позвонишь сама!

— Что ты, Коля, почему?

— Думал, ты про меня забыла.

— Я всегда о тебе помню.

— Неужели?

— Точно тебе говорю.

— Что, с теми, с которыми вы ушли, ничего у вас не получилось? Разочаровали они тебя?

— Ты про рыжего с блондином? — небрежно произнесла Анжела. — Забудь! Это прожитый этап. Оба не в моем вкусе, я их исключительно для Динки склеила. Она вчера праздновала третью годовщину своего развода, ну, сам понимаешь, немножко хандрила. Вот чтобы ее приободрить, я ей кавалеров и нашла.

— Сразу двоих?

— Так поодиночке они не отдавались. Пришлось двух брать, но по цене одного.

Коля не выдержал и засмеялся:

— Вечно ты чего-нибудь этакое скажешь!

— Я такая.

— Ох, Анжелка, допрыгаешься ты когда-нибудь, — произнес Коля.

Но голос его звучал вполне беззлобно. И Анжела решила: раз дружба между ними восстановлена, пора приступать к основному вопросу, ради которого она и позвонила охраннику.

— Коленька, у меня к тебе одна просьба.

— Что хочешь, голуба моя? Все для тебя сделаю.

— Дай мне телефон Леши-бармена.

Коля немедленно навострил ушки:

— Это зачем тебе?

— Мне кажется, я в баре свою косметичку оставила.

— Ну, если оставила, Леха тебе ее вернет. Он честный парень.

— Так ты дашь мне его телефон?

— Я могу и сам ему позвонить, спросить про твою косметичку.

— Ладно. Ну, тогда запоминай, она была такая красненькая, не большая и не маленькая, а примерно с ладошку. Из тисненой кожи, на боку вензель в форме двух переплетенных между собой букв «А» и «Ж», обе буквы выложены синими стразами. Это что касается внешнего вида, теперь по содержимому...

Но Коля не дал ей договорить. Как и предвидела Анжела, длинный перечень примет якобы утерянной косметички напугал его.

— Знаешь, я всего этого, боюсь, не запомню. Я тебе все-таки телефон Лехи дам, сама с ним разговаривай.

Собственно, этого хитрая Анжела и добивалась. Она знала, что нормальный среднестатистический мужчина просто не в состоянии запомнить кучу ненужной информации, вываленной на него внезапно. А Коля и был именно таким среднестатистическим мужчиной, так что он даже не стал пытаться.

Леха ответил сразу же. Вот только вспомнить рыжего и блондина для него оказалось делом затруднительным. Он никак не мог понять, о ком идет речь.

— Какой рыжий? Какой блондин? Кто это вообще звонит?

Анжела представилась, но дело с места не сдвинулось.

— Не помню я никого, — бормотал Леха. — Они что-то потеряли? Деньги? Кошелек? Телефон?

— Хуже, сами потерялись.

Леха выругался, мол, какое ему дело, он в сторожа всяким там рыжим и блондинам не нанимался. Была бы еще смазливая блондинка, тогда другой разговор, а так отстаньте вы все.

И когда Анжела уже совсем упала духом, решив, что ничего у нее не выйдет, Леха неожиданно произнес:

— Хотя да, были там двое, крутились возле бара. Под закрытие уже дело было.

— А чего хотели?

— Они такси просили меня вызвать. Как раз один рыжий и тощий, а второй пухлый такой, со светлыми волосами. Потом рыжему кто-то позвонил, они и отошли, про машину ничего не уточнили.

— И что, ты им вызвал машину?

— Машину-то я вызвал, а они сами к этому времени куда-то слиняли. Вот такие люди, таксист ругается, хорошо еще я тому психологу с его девками предложил, он на той машине и уехал.

— Какому психологу? — машинально поинтересовалась Анжела.

— А я знаю? Седой такой дядька, в возрасте. Говорил, что книгу пишет про взаимодействие полов. И еще семинары ведет по искоренению застенчивости у молодых людей. А к нам с тремя девками пришел. И потом весь вечер заставлял их к мужикам клеиться.

— Зачем он это делал?

— Вот и я у него спросил зачем. Сам в угол забился, а девок своих знакомиться посылал. Мы с Колей сначала решили, что это сутенер, поговорили с ним. А он нам и сказал, что это тренинг такой. Пока его подопечные не научатся легко и без проблем знакомиться с приглянувшимися им мужчинами, он не успокоится.

Так вот кем были тот седоволосый и три девушки с ним. Это был психолог, выбравший такой необычный способ, чтобы вылечить своих клиенток от застенчивости.

Леха между тем продолжал:

— Значит, нашел я, кого на такси отправить. Но для этого по клубу мне пришлось побегать. Ни рыжего, ни блондина не видать. Да еще люди какие-то ко мне подошли, тоже про рыжего и блондина расспрашивать стали, а их и нет нигде! Ушли!

— Постой-постой, а что за люди к тебе подошли?

— Откуда я знаю? Какие-то ребята, крепкие такие. Где, говорят, друзья наши? Должны быть тут. И приметы мне их описали. Ну, я им и сказал, что сам их ищу, да только нету их, похоже, что уже ушли. Они к Кольке — охраннику, а его не было. Покрутились немного, да так и ушли ни с чем.

Анжела молчала. А Леха прибавил:

— Сумасшедшая ночка была, что ни говори. Двадцать первое сентября, чтоб его!

— А чем двадцать первое сентября от другого дня отличается?

— Так с двадцать первого на двадцать второе — осеннее равноденствие, ты не знала? День и ночь равны, но уже сегодня ночь станет длиннее дня. Темная сила с нынешнего дня и до марта верх берет, так-то вот.

Анжела промолчала, она не увлекалась астрологией, но почему-то слова бармена усилили тревогу, и без того уже поселившуюся у нее в душе.

Однако она взяла себя в руки и не стала пугать Киру с Лесей, не стала делиться с ними своей тревогой. Хватит с них и их собственных страхов. Так что подругам Анжела лишь сказала, что седовласый отныне вне подозрений. И что знакомство бармена и пропавших мужчин ограничилось вызовом для них такси, которым, впрочем, Эдик и Лисица так и не воспользовались.

— Что же, спасибо тебе и на этом.

— Ты для нас много сделала.

— Мы тебе очень благодарны.

Девушки подвезли Анжелу до ее дома. И прощаясь, как она думала, навсегда, Анжела сказала им:

— В общем, ваши мужчины намеревались куда-то ехать. Хотели ехать на такси, но зашли ко мне, чтобы подождать того типа на белой «Ауди». Сманили у меня Динку, увезли ее куда-то. Как она появится, я вам обязательно брякну. А вы пока спросите у коллег ваших мужей, у их друзей, возможно, они знают этого типа с перстнем и на белой «Ауди».

Кира с Лесей поблагодарили Анжелу еще раз за все. И в свою очередь попросили, чтобы она была с матерью Дины на связи. И сообщила им, когда девушка объявится. Анжела пообещала, что сделает, но на сердце у нее по-прежнему было тяжело.

Оказавшись дома, Анжела не стала придумывать, чем бы ей еще заняться сегодня. Она сразу же улеглась спать. Сон — лучшее лекарство от всех тревог и невзгод. Когда человек хорошо выспался, ему куда легче противостоять этому миру.

Глава 6

Что касается подруг, то они сложа руки сидеть, конечно, не собирались. Едва распрощавшись с Анжелой, они позвонили Никите и принялись допытываться у него, знает ли он человека, который ездит на белой «Ауди» с такими-то регистрационными номерами.

По голосу они поняли, что Никита этого человека знает. Но вот делиться с подругами своими сведениями не спешит. Никита был самым молодым в отделе Лисицы, имел отличную хватку, и все вокруг пророчили ему, что он далеко пойдет. Вместо того чтобы внятно объяснить подругам, что это за тип такой на белой «Ауди», Никита принялся выпытывать у них подробности, что да откуда они узнали про эту машину.

В конце концов терпение у Киры лопнуло и она заявила:

— Знаешь что, Никита! Либо ты сотрудничаешь с нами, либо мы и сами можем узнать имя этого человека! Не такая уж это великая тайна. Не забывай, что у нас дома есть все базы данных, какие только возможны! Для нас найти человека — вообще не проблема. Просто мы надеялись, что ты его знаешь.

— Да, мне кажется, я его знаю. Во всяком случае он единственный, у кого есть похожая машина.

— И ты поможешь нам с ним связаться?

— Пока не пойму, какого черта происходит, нет, — откровенно сказал Никита.

— Но хотя бы кто он такой? Мы ведь это все равно выясним. Не от тебя, так от других!

— Ладно, кто он такой, скажу. Зовут его Салим. Он араб. Живет и работает в России уже много лет. Учился тут на врача, да так и остался. Теперь имеет успешный бизнес, считается вполне обеспеченным человеком.

— Прекрасно. И что общего могло быть у наших мужчин с этим Салимом?

— Я не хочу разговаривать с вами об этом по телефону. Вы сейчас где?

— Едем домой. Но можем развернуться.

— Не надо. Приезжайте. Я как раз у Тара... Я у нашего генерала, обсуждаем ситуацию, так что приезжайте, поговорим.

— Куда? К нам в поселок?

— Да.

— Так Таракан сейчас дома?

— Да.

Для подруг стало большим облегчением услышать, что хотя бы их старый друг бравый генерал находится там, где ему и положено быть, — у себя дома.

До «Чудного уголка» они добрались быстро. Но когда вошли в дом к Таракану, то сразу же поняли, что дела очень скверные. Именно эта мысль пришла им в голову, когда они увидели старого генерала. Он был бледен. И у него даже не было сил сидеть, поэтому он полулежал в огромном кресле.

Вокруг него хлопотала тетя Наташа, которая кинула на подруг сочувствующий взгляд и произнесла:

— Славочка спит.

После чего снова повернулась к мужу, который на появление подруг никак не отреагировал, словно находился в полубессознательном состоянии. В комнате царил полумрак, окна были плотно зашторены, а в воздухе носился запах валидола, лекарства, которое тетя Наташа считала лучшим средством от всякого рода сердечной боли.

— Что это с нашим генералом приключилось? — тихо спросила Кира, обращаясь к Никите.

Этот молодой сотрудник находился тут же в комнате. Сколько точно ему было лет, подруги не знали, но выглядел Никита очень молодо — лет на восемнадцать-двадцать. У него был нежный пушок над верхней губой, большие и очень чистые глаза, румяные щеки. Его можно было бы назвать хорошеньким, если бы не мужественный, очень крупный нос.

Несмотря на свою молодость и то, что Никита лишь недавно пришел в отдел, там быстро сумели оценить полезность новичка. И очень скоро Никита стал в отделе своим. Впрочем, этому было одно простое объяснение: Никита пришел в отдел не со стороны, а по рекомендации друга генерала, который ручался за своего племянника как за самого себя.

Никита подошел к подругам и сказал им вполголоса:

— У нас беда.

— Да, мы это уже поняли и сами. Но что именно случилось?

— Прошлым вечером погибли трое сотрудников нашего отдела.

Кира с Лесей сдавленно охнули. Так вот по какой причине в отделе поднялся переполох. Настоящее ЧП!

— Кто же погиб?

— Вы этих людей не знаете.

Услышать это было огромным облегчением для подруг. Если они не знают погибших, значит, напрямую их беда не коснулась. Их собственные мужчины живы. Пока живы.

— А что с Эдиком? — с тревогой спросила Леся.

— А Лисица? Где они?

Подруги ожидали внятного ответа, но вместо этого Никита отвел глаза.

— Что? — вскрикнули девушки. — Что с ними? Куда они делись?

— Это еще не ясно.

— Как это не ясно? У вас должна быть хоть какая-то информация о них!

Никита выслушал подруг и попросил их говорить тише. А затем, покосившись на генерала, который прислушивался к разговору, Никита сказал:

— Пока вы добирались, я навел справки о владельце той белой «Ауди», которая, по словам вашей свидетельницы, заехала за ребятами. Все совпадает.

— Что совпадает? Кто этот человек?

— Все, что я мог, я вам уже про него рассказал.

— Ни черта ты нам не рассказал! — со злостью произнесла Кира.

— Ты только сказал, что его зовут Салим, — добавила Леся. — И что он араб. Даже из какой он страны, ты нам не сказал.

— А для вас этого должно быть достаточно. Им займутся наши сотрудники.

— Это какие? Те трое, которых подстрелили прошлой ночью? Или те, что пропали? Сверчок, например?

Никита вздрогнул.

— Откуда вы знаете?

— О чем?

— Ну, что еще два наших сотрудника пропали без вести? Сверчок и Гвоздика, такие их позывные.

Честно говоря, подруги этого и не знали. Они лишь слышали про Сверчка от Анжелы, которая упомянула, что это слово было произнесено в телефонном разговоре их мужьями. Но подруги про Сверчка ляпнули сдуру, а вот поди ж ты, прокатило. Теперь они знали, что кроме Эдика и Лисицы пропало без вести еще два человека. Сверчок и этот... Гвоздика. Или Гвоздика — это она?

Но когда подруги задали Никите этот вопрос, он им ничего не ответил.

— Хотя бы скажи, эти Гвоздика и Сверчок, они были вместе с нашими мужьями?

Никита помрачнел еще больше:

— Если еще и ваши мужья не дадут о себе знать до ночи, тогда, значит, уже четверо наших пропало. Плюс троих мы потеряли убитыми. Всего семь человек, таковы наши потери!

С кресла, на котором страдал генерал, раздался сдавленный стон. Бедняга Таракан! Он так пекся о своих людях. Они с тетей Наташей жили вдвоем, и за неимением собственных сыновей, которых он мог бы по-отечески воспитывать, генерал отводил душу на своих подчиненных. Кира могла твердо сказать, что никто не сделал для Лисицы больше, нежели их старый друг. Да и в отношении самих подруг Таракан сразу же занял позицию мудрого наставника и друга.

Ну а душка Эдик вообще умел отлично ладить со всеми. Таракан любил его без всяких «если», как любят младшего в семье, к которому не предъявляют особых претензий и от которого достаточно уже того, что он просто есть.

— Как это произошло? Вы нам можете объяснить?

Но тут уж и Никита, и Таракан совершенно одинаковым движением плотно сомкнули губы. Нет, они не скажут! Эта мысль отчетливо читалась на лицах обоих, так что подруги не стали настаивать.

— Но что наши мужчины делали в пять утра в «Трех корочках»? Это мы хотя бы имеем право знать?

— Имеете.

Это произнес Таракан.

— В «Трех корочках» должна была состояться встреча с человеком, от которого зависела передача наших людей нам.

— Это тех двоих, что нынче числятся пропавшими? Сверчок и Гвоздика?

— Да. Так вот, сначала похитителями было указано другое место. Про эти «Три корочки» мы и понятия не имели. Мы все подготовили в наилучшем виде, но затем произошло нечто непредвиденное. У всех нас внезапно пропала связь. Мы буквально не могли связаться друг с другом. Ни по рации, ни по сотовой связи.

— Где же вы находились в тот момент? — удивились подруги. — Где-то далеко за городом?

— В том-то и дело, что все происходило в центре города!

— И при этом ни у кого из вашей группы не работали средства связи?

— Ни у кого! Так как в операции участвовала специально вызванная бригада задержания, мы рассчитывали, что все пройдет без осложнений. Но затем связь вновь появилась, и нам позвонил Лисица. Он сказал, что ему поступило сообщение о том, что наша засада раскрыта. И что теперь заложники обречены. Единственная возможность спасти их жизни — встретиться с человеком, который знает, где они могут находиться.

— Кому? Кому встретиться?

— Вашим мужьям.

Сердца у подруг так и упали. Значит, их мужчины отправились на эту опасную встречу одни! И пропали!

— И кто был тот, с кем они должны были встретиться?

— Подозреваю, что этим человеком был Салим.

— Тогда найдем его!

Никита помрачнел еще больше. И даже Таракан смутился.

— Если бы это было так легко, — пробормотал он. — Но все дело в том, что Салим последний раз давал о себе знать утром. А с тех пор от него не поступило ни единой весточки.

— Но как же это?

— Мы разговаривали с его женой и дочками. Салим уже не молод, у него взрослые и разумные девочки. Все трое рассказали нам, что папа ушел из дома ночью или очень рано утром. Во всяком случае, когда в восемь проснулись сами женщины, отца дома уже не было. И его белой «Ауди», соответственно, тоже не было.

— Он ездил за рулем сам?

— Да.

Подруги переглянулись. Выходит, Салим рано утром ушел из дома, заехал за их мужьями, вероятно, они трое прихватили с собой еще и Дину, а потом все дружно пропали! Хотя нет, Дина ведь объявилась дома около десяти утра. И ее подвез Салим. Значит, по крайней мере он сам в десять утра был еще жив. И потом уже к двум часам дня он опять заезжал за Диной. Во всяком случае машина точно была его.

У подруг не было оснований, чтобы не верить дяде Володе или сомневаться в памяти своего свидетеля. Дядя Володя видел белую «Ауди», он запомнил номер и он даже видел руку некоего упитанного брюнета с приметным перстнем.

И Кира спросила:

— У Салима есть перстень?

— Перстень? — не понял Таракан. — Какой перстень?

— Вот такой.

И вместо объяснений Кира протянула генералу рисунок, который сделала для них Анжела. Таракан рисунок очень внимательно рассмотрел и нахмурился:

— Похоже на масонскую символику. Никита, ты не взглянешь?

Никита взглянул и покачал головой. Перстень его явно заинтересовал, он долго и внимательно рассматривал картинку. И даже уточнил, правда ли, что этот перстень был на руке у водителя «Ауди».

— Никогда ничего подобного у Салима не видел. Да и, судя по размеру, Салиму это кольцо было бы велико. Тут размер двадцать третий, никак не меньше, а у Салима пальцы тонкие, да и сам он одна сплошная кость.

Ага, вот Никита и проговорился! Значит, этот Салим для Никиты не случайное имя. Никита хорошо знает этого человека и уж точно знает, как Салим выглядит, он встречался с ним. А Таракан знает, что у Салима взрослые дочери. Все ясно! Салим этот плыл в одной лодке с ребятами!

— Думаешь, это не его перстень?

— Думаю, что не его. Но, с другой стороны, ведь этот рисунок может быть не точен. А то, что я у Салима не видел такого перстня, так я и самого Салима знаю не так чтобы очень хорошо. Только в последнее время, когда мы стали активно сотрудничать с...

Таракан предостерегающе кашлянул, и Никита тут же сменил тему:

— А это вообще важно? Я имею в виду перстень?

— Этот перстень был на руке мужчины, который был за рулем белой «Ауди». Если Салим, как вы говорите, пропал... То возможно, этот человек что-то может знать об его исчезновении?

— И об исчезновении ваших мужиков тоже!

Глаза у Таракана блеснули вновь здоровым блеском. Старый генерал почуял дичь, он явно возвращался к жизни.

— Никита... — требовательно взглянул он на своего помощника.

— Я обязательно спрошу у родных Салима про этот перстень.

— Прямо сейчас.

— Да, немедленно позвоню!

Он позвонил Салиму домой, на сей раз трубку взяла жена. Никита подробно описал перстень, и женщина твердо сказала, что подобного украшения у мужа никогда не было и нет.

— Салим вообще не носит украшений, он их не любит. А уж золото он и подавно не наденет. Даже наши обручальные кольца сделаны из особой стали. И мне стоило большого труда уговорить Салима носить его кольцо.

Никита вежливо попрощался с женщиной и удрученно взглянул на остальных:

— Вот так, эта ниточка никуда не привела.

Подруги тоже приуныли. Но Таракан подбодрил их:

— Мы будем продолжать поиски. Найти белую «Ауди» — это не иголку искать в стоге сена. Найдем!

Слова старого генерала оказались пророческими. Машина нашлась, и не только она одна. Но первый человек, от кого подруги узнали страшную правду, как ни странно, был не генерал и даже не его верный помощник Никита, пообещавший, что к себе не поедет, а на ночь останется в доме Таракана, чтобы быть рядом на всякий случай. Новость сообщила подругам Анжела.

Именно Анжела позвонила рано утром подругам и сказала:

— Людмилу Петровну вызвали на опознание.

Спросонок подругам ценой неимоверных усилий все же удалось заснуть, они не сразу поняли, что хочет сказать им Анжела.

— Какое опознание? Чье?

— Дины! Полицейские нашли ее тело.

— Погоди... Ты хочешь сказать, что Дину нашли... мертвой?

— Ну да!

Подруги при этих словах Анжелы похолодели.

— А как... как это случилось?

— Не знаю, — прошептала Анжела. — Тетя Люда, наверное, знает. По дороге она мне расскажет.

— Ага. Ясно.

— Она мне только что позвонила, просила, чтобы я подвезла ее. У самой тети Люды машины нет, такси вызывать она не хочет, дорого, вот меня и попросила. Я уже выдвигаюсь к ней, но решила сначала звякнуть вам.

— Не нужно паниковать раньше времени. Может быть, это не Дина.

— Нет, это она, я в этом уверена, — мрачно произнесла Анжела. — И тетя Люда тоже уверена. Да и тот полицейский, который звонил тете Люде, тоже уверен, что это Дина.

— Почему?

— Он сказал, что рядом с трупом найдена сумочка, а в ней документы на имя Дины.

Вот оно как! Дина нашлась, но мертвой.

— Мы немедленно едем к тебе! — воскликнула Кира.

— Лучше уж тогда прямо в отдел приезжайте. Тетя Люда сказала, что Дину нашли на Приморском шоссе. Ближайший населенный пункт — Сестрорецк. Туда в морг Дину и отвезли. Ну и нам тоже надо туда ехать. А вы как хотите.

На опознание подруги все же поехали. Не хотели ехать, но их не оставляла надежда, что, может, узнают что-нибудь о своих мужчинах.

Их надежда исполнилась, но лишь отчасти. Полицейские, обнаружившие тело Дины, осмотрели тщательно местность. И в пяти километрах от того места, где было найдено тело убитой девушки, нашлась брошенная у дороги белая «Ауди» с тем самым номером А001ХО, запомнившимся дяде Володе.

Машина, принадлежавшая Салиму, была пуста. В ней не было ни водителя, ни пассажиров, ни каких-либо подозрительных предметов. О том, что машина оказалась замешанной в страшном преступлении, говорили лишь пятна крови на обивке пассажирского сиденья.

Разумеется, в отделе уже находился Никита и еще какие-то люди, как поняли подруги, тоже коллеги их мужей. Никого из них они не знали. Никита удивился, когда увидел Киру и Лесю, но гнать их не стал и даже попросил следователя, который занимался этим делом, чтобы он разрешил девушкам присутствовать при разговоре.

Следователь, человек бывалый, в возрасте, не скрывал своей озабоченности.

— Мне кажется, тут действовал профессионал. Выстрел в голову... Не всякий новичок решился бы на такое.

— Свидетелей найти не удалось?

— Какие свидетели? — махнул рукой следователь. — Это же лес! Мы нашли тело в отдалении от трассы. Преступник заехал в зону санитарной остановки, когда там никого не было. И сбросил тело.

— А что с салоном? Вы его уже осмотрели?

— Сейчас с ним работают эксперты. Вероятно, будут отпечатки пальцев. Также есть следы крови. Полагаю, что это кровь потерпевшей. Но возможны и сюрпризы. Никогда нельзя сказать заранее.

— Когда ее убили?

— Тут мнение экспертов однозначное: это произошло еще днем, в три, возможно, в половине третьего пополудни.

Бедная Дина! Из дома она уехала около двух. А в три или даже раньше была уже мертва. Недолго же она покаталась со своим кавалером.

— Помимо гематомы на голове, которая могла быть вызвана ударом каким-то тупым предметом, мы обнаружили на теле потерпевшей два огнестрельных ранения. Одно, в область сердца, могло быть сделано еще в машине, отсюда и кровь на сиденье. Второе, контрольный выстрел, был сделан уже на стоянке, видимо, убийца не желал слишком уж пачкать разлетевшимся во все стороны мозгом машину. Не такое уж большое удовольствие ехать в перепачканной машине. Преступнику ведь предстояло проделать на этой машине по трассе еще какое-то расстояние, прежде чем он смог бросить ее.

— И где, говорите, он оставил машину?

— Отсюда примерно в пяти километрах.

— На самой трассе?

— Нет. Опять же съехал в лесок. Место там пустынное, машину он поставил за деревьями так, чтобы ее не было видно. Так что мы нашли ее лишь потому, что очень хорошо искали.

И кашлянув, следователь продолжил:

— Дальше по трассе есть заправка. Преступник мог оставить свою собственную машину где-то там. Или там его мог подобрать сообщник.

— И что вы предприняли для поисков преступника?

— В первую очередь мы сейчас опрашиваем работников бензоколонки. Хотя очень трудно спрашивать людей, когда не знаешь толком, кого ищешь.

— Но ведь вы ищете хозяина машины?

— Его в первую очередь. Но лично я с трудом могу понять, как этот человек мог так здорово подставиться. Если он сам забирал потерпевшую у ее дома, его машину могли там видеть и запомнить.

— Так и случилось.

— Ведь саму машину рано или поздно мы неизбежно бы нашли. Он недостаточно хорошо ее спрятал, чтобы она вечно оставалась недоступной для нас. А если бы мы ее нашли, то нашли бы и следы крови в ней. И первым, кого обвинили, был бы именно хозяин машины. Значит, вряд ли преступление совершил он.

— Мой вам совет: ищите человека с перстнем! — воскликнула Кира, вызвав невольный интерес следователя.

— Что за перстень?

— Сейчас я вам покажу.

Кира по памяти быстро набросала рисунок, получилось не так хорошо, как у Анжелы, но следователь оказался все равно доволен. А узнав, что владелец перстня — крупного телосложения брюнет, обрадовался еще больше.

— Потому что, судя по фотографии, владелец машины хоть и брюнет, но никак не в теле. Я бы даже сказал, что он костлявый.

То же самое говорил и Никита.

— Значит, в машине был кто-то другой, а не Салим!

Непонятно отчего, но Кира с Лесей почувствовали радость. Может, потому, что им не хотелось, чтобы любящий муж и отец двух дочерей оказался жестоким убийцей? Или им этого не хотелось, потому что Салим был связан с их мужьями. Куда легче было поверить в то, что убил Дину кто-то посторонний. Да, но куда же в таком случае подевался Салим? И самое главное, где Эдик с Лисицей? Пошли уже вторые сутки их исчезновения, а у Киры с Лесей не было даже плохонькой версии о том, куда могли подеваться их мужья.

— Дина говорила, что в машине ее кавалера была сумка, набитая деньгами. Вы ничего не находили?

— Сумка с деньгами?

— С пятитысячными купюрами.

— Сумку мы не находили. Но за ковриком водительского сидения и впрямь нашлась пятитысячная банкнота.

Значит, сумка все же была! И откуда в машине у Салима взялась сумка, битком набитая деньгами? Даже для успешного бизнесмена странно возить с собой большую сумму наличными. Вероятно, эти деньги предназначались для кого-то или чего-то.

Пока следователь беседовал с Никитой и подругами, его помощник проводил в морг мать потерпевшей для опознания. Вскоре подошла Анжела.

— В морге тетя Люда подтвердила, что это действительно ее дочь, — сказала Анжела.

— А что полицейские говорят об убийстве?

— Что говорят... да ничего не говорят. Они все больше спрашивают. Считают, что Дину убил ее мужчина из ревности или просто потому, что достала она его.

— А у тебя какие соображения?

— Ох, не знаю, — вздохнула Анжела. — Голова так и гудит. Ничего не соображаю. Еще недавно мы с Диной веселились на всю катушку, и вот ее уже нет в живых. И никогда больше не будет.

Анжела присела на трубу, которая валялась возле отдела, и сидела так, понурившись и закрыв лицо руками. Подругам даже показалось, что она плачет. Но когда они попытались ее расшевелить, оказалось, что Анжела и не думала плакать.

— Что с тобой? Ты чего задумалась-то?

Анжела подняла голову и сказала:

— Такие дела, что поневоле задумаешься.

— О чем?

— О том, что жизнь чертовски коротка. И самое скверное, что никогда заранее нельзя угадать, когда прервется ниточка.

— Но это же понятно.

— Вот вам понятно, а до меня только сейчас дошло.

В голосе Анжелы звучал страх.

— Скажите, вот если я завтра умру, что со мной станет?

— Ну... Точно этого никто не знает...

Вопрос поставил подруг в тупик. Им казалось, что они не вправе вести подобную беседу. Но потрясенная смертью подруги Анжела все никак не хотела успокоиться.

— Что же мне делать, если я не хочу умирать? Что делать, если мне страшно умереть?

Наконец Анжела пришла в себя. Она в последний раз вздохнула, а потом пожала плечами.

— Да уж, — хмыкнула она. — Никакого рая и ада, конечно же не существует. Это все выдумки попов, чтобы заставить паству жить в страхе перед грядущим наказанием. Чтобы люди им тащили подарки и деньги, думая, что священники вымолят для них прощение. А на самом деле все заканчивается тут, где и начинается. На земле! Никакого другого мира нет, умрем — и все, ничего дальше не будет!

Для основательного богословского спора подруги были слишком утомлены и слишком хотели спать.

Поэтому они промолчали, хотя могли бы возразить Анжеле.

Но они предоставили будущему рассудить их и, как им казалось, поступили совершенно правильно.

Глава 7

Кире и Лесе было тревожно. Да еще они были утомлены поездкой в Сестрорецк, но отдыхать девушки не собирались, ворочаться без сна в кроватях им было не под силу. Надо было срочно чем-то занять себя, отвлечься от тяжелых мыслей. Ведь от Лисицы и Эдика до сих пор не было никаких известий. И в сложившейся ситуации это был весьма дурной знак.

После полудня в дверь позвонила Надя, она принесла им Славика, и подруги, которые были в таком состоянии, что уже не могли ни о чем думать, обрадовались ребенку.

— Его надо покормить, — сказала Надя. — Он только утром кашу покушал. А теперь ему нужен суп.

Ну, суп так суп. По крайней мере, тут все было просто, ясно и знакомо. Сварить суп, измельчить его блендером, а потом наступал процесс кормления. Одна из подруг что-нибудь изображала, а вторая тем временем ловко запихивала в открывшийся от изумления рот ребенка ложку с кушаньем.

Но вот Славка был накормлен, умыт, причесан, переодет и уложен на тихий час. А сами подруги, прибравшись в кухне, которая всегда после кормления Славки выглядела так, словно тут трапезничали по меньшей мере полдюжины поросят, вновь оказались наедине со своими страхами. И против воли темные мысли снова полезли им в голову.

— А вдруг их уже и в живых-то нету?

— Типун тебе на язык! Не смей так говорить!

— Но если они не отзываются, не подают о себе вестей, то где же они?

— Наверное, там же, где и те двое ребят, которых похитили до них. Это Сверчок и Гортензия.

— Гвоздика.

— Все равно. Ты про кого-нибудь из них двоих слышала?

— До вчерашнего дня никогда!

— Вот и я тоже.

Подруги помолчали, а потом Леся снова вздохнула:

— Эх, знать бы, кто это сделал!

— Салим знает.

— И где он — этот Салим? Где его искать?

— Может, у жены спросить?

— Полицейские ее уже допросили и, как сказал Никита, не один раз. Бесполезно. Она ничего не знает.

— Не знает или не говорит?

— А зачем ей скрывать что-то от полиции? — удивилась Леся.

— Много зачем.

И Леся задумалась.

— Например, она может выгораживать мужа. Или просто не верит в его причастность к убийству Дины и не хочет, чтобы ее мужа арестовали под горячую руку.

— Вот и прячет его. Ждет, когда найдется другой подозреваемый, тогда Салим и выйдет из подполья.

— Думаешь, нам надо за этой женщиной проследить?

— Думаю, что для начала нам нужно с ней хотя бы познакомиться и просто поговорить.

Подруги еще сомневались, когда раздался звонок Никиты. Голос его звучал озабоченно.

— Следователь сообщил, что результаты предварительной экспертизы салона белой «Ауди» готовы.

— И что там?

— Там... Там много чего.

Голос Никиты звучал загадочно.

— Во-первых, сразу скажу, что в салоне полным-полно отпечатков ваших мужчин и отпечатков совсем свежих.

— Значит, Эдик и Лисица были в этой машине?

— Да.

Хорошо, что теперь хотя бы можно будет со стопроцентной точностью говорить о том, что Эдик и Лисица были в той белой «Ауди», принадлежащей Салиму. До сих пор даже это утверждать точно подруги не могли.

Но вторая новость оказалась уже не такой хорошей.

— В салоне есть видимые следы крови.

Подруги испуганно охнули. Несмотря на то что им то же самое сказал следователь, слова Никиты произвели на них более сильное впечатление.

И Никита поспешно воскликнул:

— К счастью, обнаруженная в салоне кровь не подходит по группе ни одному из пропавших офицеров. Это кровь каких-то других людей, а не ваших мужей.

— Людей? Ты сказал, людей? Не одного человека, а разных людей?

— Ну да. Двоих. И, что интересно, пятна на обивке сидений салона тоже разной степени давности. Те, что посвежей, принадлежат с большей долей вероятности Дине. Это ее группа крови. А те, что появились часа за три-четыре до этого, принадлежат человеку, чья группа крови совпадает с группой крови Салима.

— Так что же... В машине есть кровь Салима и есть кровь Дины?

— Пока нельзя утверждать это со стопроцентной вероятностью, но похоже, что это так.

— Значит, Салим был ранен?

— Крови довольно много, — произнес Никита. — От простого пореза на пальце столько не натечет. Вероятно, Салим мертв или тяжело ранен.

Что ж, теперь у подруг был повод, чтобы наведаться к жене Салима. Им очень не хотелось быть гонцами, дурные вести приносящими, но в данном случае у них не было выбора. Они должны поговорить с этой женщиной. А без определенной доли откровенности с их стороны разговор вряд ли состоится.

— Поедем.

Подруги накормили своих кошек. И еле дождавшись, когда проснется Славка, подруги опять отнесли ребенка в дом генерала, сбагрили его безропотной тете Наташе, а сами отправились в город.

Анжелу тоже терзала тревога, хотя и в меньшей степени, чем двух подруг. Девушка прошлась по своей квартире, выглянула в окно, где в прорехах облаков виднелось синее небо и время от времени поблескивало солнышко. Тяжелых дождевых туч не наблюдалось. А для затяжной питерской осени и такой день был подарком, пусть и не очень солнечным, но зато теплым и без дождя.

Однако сегодня Анжелу не порадовали ни солнце, ни кусочки синего неба, она не могла выбросить из головы мыслей о погибшей подруге. С того момента, как Анжела увидела в руках следователя паспорт подруги, услышала горькие слова «крепитесь!», она поняла, что жизнь ее никогда уже не будет прежней. Произошло чудовищное преступление, смерть прошла совсем рядом с Анжелой, и лишь чудом она осталась жива.

Сегодня утром, вернувшись домой, Анжела не могла думать ни о чем другом, кроме как о том, до чего же ей повезло.

— Если бы Дина взяла меня с собой... Если бы мы с ней вместе укатили на той белой «Ауди»... Если бы я побывала там вместе с Динкой...

На этом месте речитатив Анжелы заканчивался, потому что она не знала, где это «там» довелось побывать ее подруге.

Несмотря на легкомысленный образ жизни и общее настроение ничего не принимать всерьез и близко к сердцу никого не подпускать, Анжела считала себя человеком неглупым. И сейчас она понимала, что лишь по счастливому стечению обстоятельств избежала смерти. Пострадала Дина, которая сунулась куда не следовало и поплатилась за свое любопытство.

— Но все-таки где была Динка вчера утром? Пусть даже она отправилась с ребятами куда-то на белой «Ауди». Но от меня они уехали в пять, домой Дина приехала к десяти. Где она была эти пять часов? И что она делала, пока за ней снова не заехала белая «Ауди»? — Мать Дины говорит, что дочь легла спать. Но так ли это?

По словам дяди Володи, его молодая соседка и не думала спать. Вместо этого она весьма деятельно провела последние отпущенные ей часы жизни. Звонила кому-то по телефону, болтала, хвасталась своей удачей. И хотя дядя Володя не мог точно сказать, с кем общалась Дина в этот промежуток времени, Анжела подумала, что она могла бы это узнать.

Для этого надо было всего лишь влезть на страничку Дины в «Одноклассниках», а также побывать в других социальных сетях, где Дина могла оставить какие-то записи или... или даже фотографии.

Расчет Анжелы оправдался в полной мере. У Анжелы даже сердце трепыхнулось, когда она увидела последнюю запись, сделанную Диной. Подруга вовсю хвасталась тем, что ей удалось наконец заполучить себе в бойфренды крутого перца. Причем одними словами Дина не ограничилась, она продемонстрировала несколько снимков интерьеров, сопровождая каждый из них комментариями: «Вид из окна нашего нового загородного дома! А вот это наша гостиная! Полюбуйтесь, какая у меня теперь спальня!»

Всюду были позолота, лепка и резьба. Амурчики с золотыми крылышками в изобилии порхали на потолке. Пол был выложен таким пестрым узором, что от него рябило в глазах. Мраморные львы с тяжелыми и тоже золотыми гривами охраняли огромный камин, в котором полыхало целое бревно.

Злые языки могли бы сказать, что фотографии Дина скачала откуда-нибудь, что к самой Дине эти фотки не имеют никакого отношения, если бы не одно «но». Вглядываясь в фотографии, Анжела не удержалась и присвистнула. Уже на третьей фотке было самое интересное: на кровати в спальне лежала Дина собственной персоной, полуобнаженная, лишь в красивом кружевном белье.

— Ничего не понимаю, — поразилась Анжела. — Где это она валяется? У кого в гостях?

К сожалению, фасад богатого дома на выложенных в сети фотографиях запечатлен не был. Поэтому, что это за дом, чей он и в какой местности находится, Анжела сказать не бралась. Но сколько она ни рылась в памяти, никак не могла припомнить, у кого из их общих с Диной друзей или знакомых могли быть в доме такие золоченые интерьеры.

— Деньжищ тут вбухано немерено.

Всерьез заинтригованная, Анжела снова просмотрела несколько фотографий. Особенно ее заинтересовала одна из них, где подруга фотографировала себя стоящей с кокетливой метелочкой в руке, с игриво оголенной ножкой и в костюмчике горничной.

Надпись к этой фотографии гласила: «А это наши ролевые игры!»

Прочтя эту приписку, Анжела невольно ахнула:

— Уже и до ролевых игр у них дело дошло! Быстро!

Анжела недоумевала. Обычно Дина любила поломаться, поводить за нос кавалеров, строить из себя этакую недотрогу-капризницу. Но тут, видимо, подруга не устояла. Богатый дом придал роману Дины необыкновенную скоротечность и легкость.

И все же Анжела недоумевала: если Дине повезло подцепить такого крутого перца, почему она не похвасталась этим в первую очередь ей? За последние месяцы они с Диной необыкновенно сблизились, проводя много времени вместе. И кому, как не ей, Дина должна была позвонить в первую очередь, чтобы поделиться своей удачей! Однако подруга этого не сделала, предпочтя вместо этого делиться своей радостью с виртуальными знакомыми и вовсе случайными людьми, заглянувшими на ее странички, или пусть и с подругами, но не столь близкими ей.

— Почему же она не позвонила мне?

Ответ был прост, лежал на поверхности. Видимо, совесть у Дины была нечиста. И считая, что своей удачей она обязана тому, что обманула подругу, уехала на дорогой машине с богатым кавалером, оставив Анжелу дома скучать одну, Дина решила ей ничего не говорить.

Анжела сначала хотела рассердиться на ветреную подружку, но потом, вспомнив, чем в итоге для Дины закончилась эта поездка и это знакомство, воскликнула с горечью:

— Ах, Дина, Динка! Что же ты наделала, глупая!

Но Дина лишь молча смотрела на нее с фотографии, тараща свои блестящие глаза в объектив. И даже на фотографии было видно, каким торжеством сверкают глаза девушки. Она была явно уверена в том, что жизнь повернулась к ней своей позитивной стороной. И что уж теперь она, Дина, сделает все возможное, чтобы зацепиться в этом богатом доме.

И Анжела неожиданно поняла, она не сможет жить спокойно до тех пор, пока не поймет, что же случилось с Диной. А потому, взяв телефонную трубку, принялась обзванивать всех общих с Диной знакомых. Девушка действовала методично, надеясь у кого-нибудь выяснить подробности о последнем знакомстве своей подруги.

Жена Салима была русская. Звали ее Анна. Она оказалась дома, занималась домашними делами, смахивала пыль, переставляла с места на место книги, фарфоровые безделушки...

Свое занятие она объяснила подругам так:

— Волнуюсь, руки меня совсем не слушаются, словно деревянные. Что ни возьму, то уроню, разобью... А ничего не делать, просто сидеть на месте, не могу. Мысли страшные тогда в голову лезут. Уже половину фарфора и стекла перебила, а все никак не уймусь.

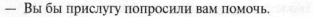

— Вы бы прислугу попросили вам помочь.

Квартира у Салима была многокомнатной, отделана современно и со вкусом. Никакой лепнины, никакой декоративной мишуры, все очень функционально, но вместе с тем с первого взгляда было понятно, что денег в ремонт хозяева квартиры вбухали изрядно. Все помещения были очень просторными и светлыми. А гостиная, где состоялся разговор, та и вовсе смахивала на футбольное поле. Ясно, что для наведения порядка в такой большой квартире нужна была помощница.

Подруги рассматривали Анну. Ей было около сорока или чуть больше. Но она тщательно следила за своим лицом и фигурой, умудрившись сохранить девичью стройность. У Анны были темные глаза и чуть тронутая солнцем кожа. Она была в длинном платье и носила шелковый платок. Видимо, желая угодить любимому мужу, Анна приняла ислам.

— Нет, прислуга мне не нужна, — произнесла женщина. — Я хочу хоть чем-то себя занять, потому и делаю. Только не помогает.

В этом подруги очень хорошо понимали ее. Они и сами находились в схожем состоянии, когда страшное беспокойство буквально снедает тебя, а как от него избавиться, ты не знаешь.

— По телефону вы сказали, что у вас есть какая-то информация о моем муже? — спросила Анна у подруг, и в голосе у нее послышалось волнение.

Подруги рассказали ей о том, что привело их к ней. Сказали, что их собственные мужья тоже пропали. Где они, никому не известно. Но так как уехали они на машине Салима, то не вместе ли находятся сейчас?

— Мне уже звонили из полиции, сказали, что нашли нашу машину и что моего мужа в ней не оказалось.

Голос Анны звучал растерянно.

— Я не понимаю, что случилось.

Если по дороге сюда у подруг еще теплилась надежда, что жена Салима знает, где находится ее муж, может, даже сама его прячет, то теперь эта надежда погасла. Анна выглядела бледной, перепуганной и совершенно несчастной.

И Леся прошептала Кире на ухо:

— Если эта женщина знает, где ее муж, то съешьте меня тогда без соли и уксуса.

Кире тоже казалось, что Анна честна с ними. А уж когда подруги рассказали о том, что в деле появился еще и труп девушки, за которой заехал кто-то на машине Салима, глаза Анны вспыхнули.

— Не может быть, чтобы Салим стал мне изменять! — воскликнула она с гневом. — Нет, только не он!

— Муж вас так любит?

Анна кивнула головой и пробормотала:

— И еще Салим очень порядочен. У нас с ним совершенно особые отношения. Нет, я в его измену никогда не поверю!

— Значит, у Салима был какой-то другой повод взять Дину с собой.

— А может, это у ваших мужчин был такой повод?

Теперь голос Анны звучал враждебно.

— Может, это они у вас любители девочек, а вы на моего Салима пытаетесь вину свалить?

— Нет, наши мужья тоже бы не стали нам изменять. Они нас любят.

Анна молчала. И тогда Леся произнесла:

— У мужчин мог быть к Дине другой интерес, не амурный.

— Какой?

— А у вас нет никаких предположений? Муж ничего вам не сказал, куда и почему уходит?

— Я спала, когда он ушел, — произнесла Анна. — В пятницу муж допоздна задержался на работе. Вернувшись, ушел к себе в кабинет, где тоже работал. Я заснула, так и не дождавшись его.

— Может, он оставил вам какую-нибудь записку? Объяснение?

— Нет, ничего. Единственное, мне кажется, будто ночью мой муж кому-то звонил. Но разговора я не слышала. И когда я открыла утром глаза, а это было часов в восемь, то мужа не оказалось рядом. Я обошла всю квартиру и только тогда поняла, что его дома нет. Он куда-то ушел.

— Но вы ему позвонили?

— Конечно! Немедленно!

— И он вам ответил?

— Да, сразу же. Сказал, что не может разговаривать, что очень занят. Как только освободится, он мне перезвонит.

— И вы не спросили, чем это он таким занят?

— Спросила, но он сказал, что потом все объяснит.

— И как? Объяснил?

— Нет. Я ждала час, затем перезвонила, но он сказал, что все еще занят, но скоро вернется.

— То есть это было в девять часов утра?

— Да, где-то так.

А Эдик с Лисицей перестали выходить на связь еще в восемь утра!

Кира спросила:

— Во время своего разговора с мужем вы не слышали каких-нибудь посторонних звуков? Голосов? Шума проезжающих машин?

Анна покачала головой:

— Нет, ничего такого я не припомню. Да и разговаривали мы с ним всего несколько секунд, что в первый, что во второй раз.

— А потом?

— Больше мы с мужем не разговаривали. Я немного обиделась на него, все-таки выходной день, мы планировали провести его всей семьей. А он куда-то убежал спозаранку, да еще потом не желал говорить, где находится. Так что я ждала его возвращения до полудня, затем позвонила, но он трубку уже не взял. И вообще телефон у него был выключен.

Так же, как и у Эдика с Лисицей. Но те пропали из эфира еще раньше.

— Скажите, Анна, а когда ваш муж уехал, вы ничего странного не заметили?

— Я же вам уже все сказала...

— Может, что-то в доме изменилось? В чем ваш муж уехал?

Анна задумалась.

— Уехал он в обычной одежде, но знаете...

— Что?

— Очень странно, как раз вчера утром, когда я хватилась мужа, наша горничная не нашла своей униформы и, хотя искала ее по всему дому, так и не смогла найти.

— Пропала униформа горничной? — удивились подруги. — Может, девушка сама ее куда-то засунула?

— Сначала я тоже так подумала и даже сказала Наташе быть повнимательней. Но она клялась и божилась, что накануне принесла униформу из химчистки, а второй комплект, наоборот, собиралась туда сдать. Она это очень хорошо помнит. Утром в субботу обнаружилось, что есть только один комплект, как раз тот, который она должна была отдать в химчистку. А второго, чистого, чтобы ей в него переодеться, нет.

— Значит, в тот день, когда пропал ваш муж, обнаружилась также пропажа этой чистенькой униформы?

— Ну да.

Совпадение или нет?

— А можно нам поговорить с этой девушкой? — спросила Кира.

— Можно, — кивнула головой Анна и звонким голосом крикнула: — Наташа! Подойди, пожалуйста, к нам!

Почти мгновенно появилась горничная. Подруги даже подумали: как это она так быстро материализовалась? Должно быть, подслушивала разговор своей хозяйки, болтаясь где-то неподалеку.

Наташа была среднего роста, среднего телосложения. На девушке красовалось коротенькое платьице, может быть, чуточку слишком короткое, нежели пристало носить горничной. К платью прилагался кружевной белый передничек и такая же кружевная наколка на голову. Все выглядело очень мило.

Увидев горничную, Анна произнесла:

— Наташа, расскажи, пожалуйста, как получилось, что у тебя пропал второй комплект униформы.

— Анна Георгиевна, — заныла девушка, — я же вам уже сто раз говорила, не виновата я!

— А ты в сто первый скажи, не переломишься.

— Ну, с вечера я оставила оба комплекта у себя в кладовке, а утром прихожу — нету одной вешалки. А раз нету, значит, кто-то ее забрал.

— Кроме вас кто еще тут работает? — спросила Кира.

— Повариха, тетя Нина. Только она не могла взять.

— Почему?

— Та незачем ей. Она в нее нипочем не влезет, даже если по всем швам мою форму распороть.

Подруги взглянули на Анну.

— Да, — призналась та, — Нина Ивановна страдает избыточным весом.

— Жирная она! — заявила Наташа с присущей молодости безапелляционностью. — Жирная и по́том воняет. Попробовала бы она мою форму взять, я бы ей показала!

— Допустим, ты форму не брала. Нина-повариха тоже не брала. Тогда кто?

— Кроме нас только хозяева остаются.

И горничная стрельнула глазами в сторону хозяйки. Что, мол, скажешь?

— Девочек я спрашивала, они не брали, — произнесла Анна. — Да и ростом они повыше Наташи будут. Им ее форма мала в любом случае. Я тоже не брала.

— Остается ваш муж.

— Господину Салиму-то эта форма зачем? — фыркнула Наташа. — Она ведь женская! Платье, передничек.

Анна нахмурилась. Ей совсем не понравилось предположение подруг.

Подруги не могли так сразу ответить, зачем Салиму была нужна форма горничной, но какая-то мысль у них в голове появилась. Если допустить, что именно Салим заехал за Эдиком и Лисицей и это он попросил позвать с собой Дину, значит, у него были какие-то планы насчет этой девушки. Нет, отнюдь не амурного характера, Дина была нужна ему совсем для другой цели. Вот только для какой?

— А вы не помните, не приходил ли к вашему мужу темноволосый, крупного телосложения мужчина, на пальце у него был перстень с инкрустацией в виде двух раскрытых циркулей?

Анна покачала головой:

— Про этот перстень меня уже спрашивали. Нет, такого не было ни у мужа, ни у кого-то из его друзей.

— А между тем этот человек был в машине вашего мужа.

— Если этот человек с перстнем и был знаком с Салимом, муж мне о нем ничего не рассказывал.

В разговоре повисла пауза. И Анна сказала:

— Я хочу сейчас помолиться о моем муже. Если у вас ко мне больше вопросов нет, то...

— Только один вопрос. Скажите, у вашего мужа при себе могла быть крупная сумма наличными?

— Насколько крупная?

— Такая, что деньгами оказалась бы забита целая сумка.

— Сумка? С деньгами? — усмехнулась Анна. — Нет, это не про Салима. Мой муж человек интеллигентный, он предпочитает хранить деньги на счетах в банке и при расчетах пользуется карточкой. Разве что в случае чрезвычайных обстоятельств он мог прибегнуть к такому способу оплаты. Но я не понимаю, что могло бы его к этому вынудить.

Подруги попрощались с Анной и пообещали той, что будут держать ее в курсе дел. После чего девушки вышли на улицу и направились к небольшому, еще летнему, кафе. Тут они смогли выпить по чашке горячего шоколада.

— И что мы имеем в итоге?

Подруги не рассказали Анне о том, что предварительная экспертиза установила: кровь в машине Салима совпадает с его группой крови. Женщина не спросила, а подруги сами вперед лезть не стали. Ведь еще не факт, что Салим мертв. Пока нет его тела, надежда остается.

И чтобы не думать о том, что пугало их сильнее всего, девушки вернулись к обсуждению своего расследования.

— Салим взял с собой униформу горничной, и с ним была Дина, которой он за что-то дал денег.

— Двадцать тысяч.

— Двадцать — это Дина только своей матери выдала. Наверняка у нее было больше.

— А за что ей дали столько денег? Вряд ли Салим ей отсыпал щедрой рукой потому, что попал в плен ее прекрасных глаз.

— Да уж, у Салима жена — настоящая красавица. А Дина, судя по ее фотографии и затянувшимся поискам личного счастья, ничем особо не блистала. Вряд ли Салим кинулся бы на нее, словно изголодавшийся пес на кость. Девушка была ему нужна для другой цели.

— Для какой?

— Вот это нам и нужно узнать. Кто бы нам мог в этом помочь?

Подруги уставились друг на друга. Дина — покойница. Салим пропал. Эдик и Лисица тоже недоступны. Кто же им скажет, чем занимались Дина и трое мужчин в промежутке с пяти и до десяти часов утра?

— Ведь к десяти она вернулась домой и была с деньгами, но не в униформе.

Девушки задумчиво пили свой густой и тягучий шоколад и думали, кто бы мог им помочь.

И тут раздался звонок.

— Анжела звонит, — сказала Кира.

Леся оживилась, отставила чашку в сторону и закивала головой:

— Бери трубку скорей. Если звонит, значит, по делу.

— Алло, — произнесла Кира и услышала:

— Цирк!

— Прости, что? — не поняла Кира. — Какой цирк?

— Ну, цирк или не цирк, а один клоун точно есть.

Кира отодвинула трубку от уха и с недоумением посмотрела на нее. Что за странный разговор?

— Ты меня слышишь? — раздался из трубки голос Анжелы. — Я про Гермеса говорю, он клоун!

Гермес — брат Дианы. Уже интересно.

— И что же он натворил?

— Придумал, будто тот человек, который Дину увез, должен ему и матери моральную компенсацию выплатить. Дескать, денег у него полно, а они тогда с матерью к нему претензий иметь не будут.

Кира удивилась:

— Он с убийцы сестры денег срубить хочет?

— Вроде того. Ну не придурок ли?

— Придурок, — согласилась Кира. — Глупый и жадный придурок.

— Вот-вот, и я о том же!

И тут у Киры в голове неожиданно что-то сверкнуло и она воскликнула:

— Погоди, Анжела, если Гермес собирается шантажировать убийцу Дины, значит, он знает, где находится этот тип? И кто он такой, Гермес тоже знает?

— Видимо, какие-то сведения у него есть. Иначе как он хочет до убийцы добраться? Но точно я пока что ничего не знаю.

Голос Анжелы звучал нервозно. Чувствовалось, что ей вся эта история сильно не нравится. Девушка с удовольствием соскочила бы с этой истории, вот только увязла в ней уже слишком глубоко.

— В общем, дело тут еще в следующем, — произнесла Анжела, — я порылась в сети, нашла там несколько свежих фоток Дины. Она их разместила буквально за пару часов до того, как ее убили.

— Интересно...

— Не то слово, как интересно. Она там сфотографировала себя в богатом доме, пишет, что дом принадлежит ее любовнику. На одной фотографии она и впрямь в неглиже, а на второй тоже как будто собирается заняться со своим любовником сексом, и для этого она переоделась в костюм горничной.

— Как?! — воскликнула Кира. — Как ты сказала?

— Костюм горничной, — повторила Анжела, не понимая причины такого волнения в голосе Киры.

— Ты можешь показать нам эти фотографии?

— Конечно. В любое время.

Анжела не придавала этим фотографиям того значения, какое придавали им Кира с Лесей. Но ведь Анжела не знала того, что Салим исчез из дома, прихватив униформу горничной — Наташи.

— Но я вам звоню не из-за этих фотографий, — сказала Анжела. — Дело в том, что я сейчас звонила тете Люде, матери Дины, и между делом спросила, как там Гермес. Сказали ли ему про смерть сестры? А тетя Люда вдруг начала плакать, потом попросила меня поговорить с Гермесом, узнать, что у того на уме.

— Это насчет его идеи с шантажом?

— Да. Тетя Люда хочет отговорить дурака от его безумного плана, но это уж как получится. Гермес, когда дело до денег доходит, умеет быть очень упрямым. Они вообще все в семье до денег сами не свои. Дина, мир ее праху, тоже не исключение. За деньги она чем угодно могла заняться.

— И что ты хочешь от нас?

— Съездите со мной к Гермесу, а?

Голос Анжелы звучал просительно, и Кира сразу же ответила:

— Конечно! О чем речь! Говори, где встречаемся?

— Приезжайте ко мне. Адрес наркоманки, у которой Гермес околачивается, у меня есть. От меня к ней и поедем.

Подруги пообещали, что скоро уже выезжают, а потом уставились друг на друга. В глазах у обеих читался один и тот же вопрос:

— А ну как Гермес не захочет сказать нам правду?

— Запросто. По-хорошему точно не захочет.

— Надо запастись рычагом давления на него.

— И что это за рычаг?

— Ты слышала, этот тип любит деньги.

— Предлагаешь его подкупить?

— Да.

— Если шантаж Гермеса увенчался успехом, наши с тобой деньги не произведут на Гермеса сильного впечатления. Ты же помнишь, у того типа в машине была целая сумка с деньгами. Куда нам до него!

Глава 8

Возле дома Анжелы подруги увидели ее саму. Девушка пританцовывала на одном месте, то ли от нетерпения, то ли от вечерней прохлады.

— Однако ветерок крепчает, — пробормотала она, забираясь в машину. — Днем еще тепло, а вечером уже ясно: лету конец.

— Ты прихватила фотографии Дианы, о которых говорила?

— Они у меня тут.

И Анжела показала свой смартфон.

— Вы пока не уезжайте, — попросила она подруг. — У меня дома вай-фай работает, если его хватит, то страничка Дины у меня в смартфоне откроется, а если нет...

И возясь со своим смартфоном, Анжела пробормотала:

— Кстати, я вам не говорила, что взяла распечатку своих телефонных звонков?

— Нет. А зачем?

— Ну как же... Когда мы с вашими мужиками и Динкой из «Трех корочек» ко мне пришли, они свои телефоны выключили, а чтобы позвонить, у Динки телефон взяли и мой без спроса тоже...

— И что?

— Единственный номер, который мне не известен, вот он.

И Анжела протянула распечатку, на которой был обведен телефонный номер.

— Вы его знаете?

— Нет. А ты туда звонила?

— Вот еще. Мне страшно.

— Хочешь, чтобы мы позвонили?

— Не знаю. Сначала я вам фотки покажу, которые у Динки на страничке нашла.

К счастью, установленный дома у Анжелы вай-фай был достаточно мощным, чтобы радиус его действия покрывал и площадку перед домом. Так что Анжеле довольно быстро удалось открыть страничку своей подруги, на которой и нашлись упомянутые фотографии.

Кира с Лесей буквально впились взглядом в них. Одна, вторая, третья... Вот и костюм горничной. Такой или не такой был на горничной Наташе, которая работала в доме Салима?

— Очень похоже, — наконец произнесла Леся.

— Просто один в один!

— Уверена, это та самая униформа, которая пропала у Наташи.

— Выходит, горничная была права. Униформу и впрямь прихватил хозяин.

Анжела с недоумением смотрела на подруг.

— О чем вы говорите?

— Салим, владелец белой «Ауди», взял у себя дома униформу горничной, а потом дал ее Дине, чтобы она переоделась.

— Но зачем он это сделал?

Вот это и впрямь был вопрос. Хотел ли Салим разнообразить свою сексуальную жизнь или все же у него был какой-то более серьезный повод, чтобы так поступить?

Подруги молча рассматривали фотографии, пытаясь прикинуть, как можно по внутренним интерьерам выяснить, кому принадлежит сам дом. Никаких сто́ящих мыслей им в голову не пришло. Единственное, что было ясно, — дом расположен где-то за городом. Живописный пейзаж, который виднелся из окна дома, говорил о том, что это место находится на природе.

И тогда Кира позвонила Анне.

— Простите, что снова вас беспокоим, но скажите, у вас есть загородный дом?

— Только небольшой садовый домик, где живут мои родители. Отец выстроил его своими руками еще в годы советской власти.

— А другого дома у вас нет?

— Нет.

Кира покачала головой. В пору советской власти со стройматериалами в стране было плоховато, ощущался дефицит абсолютно всего, так что вряд ли отцу Анны удалось бы отгрохать такие хоромы, да еще своими собственными руками. Не говоря уж о том, что обилие позолоты, тяжелые бархатные портьеры, венецианское стекло и зеркала всюду, где только возможно, фарфоровые вазы с богатым декором совершенно не соответствовали минимализму, которому отдавала предпочтение сама Анна.

В квартире у Анны все было очень функционально и современно. На фотографиях со странички Дины интерьеры больше напоминали дворцовые, с той лишь разницей, что антикварных вещей на фотографиях запечатлено не было, сплошная подделка под старину, годная лишь для простаков.

Анна еще прибавила, что муж не большой любитель отдыха в деревне. Когда ему приходит желание отдохнуть, они едут куда-нибудь в Европу.

— Правда, недавно муж заговорил о том, что хочет построить дом в коттеджном поселке, где-нибудь на заливе. Но мы даже еще участок себе не присмотрели.

— Если я попрошу вас взглянуть на фотографии интерьера одного дома, вы не откажетесь?

Анна заверила, что если это поможет найти ее мужа, то она готова пересмотреть хоть тысячу фотографий.

— Столько и не понадобится, — улыбнулась Кира и объяснила женщине, как той войти на страничку к Дине, чтобы увидеть размещенные там фотографии.

Пока Анна копалась в сети, Леся завела разговор с Анжелой:

— Анжела, ты ведь одна живешь?

— Одна. А что?

— Ничего. И не скучно тебе?

— Нет, — пожала плечами Анжела. — С чего вдруг мне скучать? Во-первых, я привыкла. Я с шестнадцати лет одна живу. А во-вторых, я и в детстве в компании особо не нуждалась. С собой легче. И поспоришь, и помиришься когда хочешь. Но по большей части мы мирно живем.

— Кто?

— Ну, я и я.

— Так у тебя есть целых два «я»?

— Их даже больше, — заверила Анжела. — Просто всех их сразу выпускать нельзя, обязательно перессорятся. Они ведь у меня даже по политическим взглядам разнятся: одни правые, другие левые, третьи вообще центристы.

Подруги не стали комментировать, но про себя отметили, что одиночество — это все-таки штука далеко не такая уж безобидная. Когда долгое время живешь один, поневоле понемножку начинаешь сходить с ума.

Видимо, эти мысли отразились на их лицах, потому что Анжела рассмеялась:

— Да вы не бойтесь, я не буйная. И все свои личности, сколько бы их не набралось, я держу в узде.

В этот момент им перезвонила Анна.

— Я посмотрела фотографии, о которых вы говорили, — произнесла она. — Нет, не могу припомнить, чтобы у кого-то из наших с мужем друзей дом был бы оформлен с подобным ммм... шиком.

— Вы уверены?

— Дом перегружен позолотой. У меня в глазах зарябило. Поверьте, если бы меня пригласили в такой дом, то я бы этого уж точно до конца своих дней не забыла.

— А платье на девушке? Оно похоже на костюм вашей горничной?

Тут у Анны не было ни малейших сомнений.

— Униформа принадлежит Наташе, — заявила она твердо. — Либо точная копия, либо она самая и есть. Но я решительно не понимаю, зачем моему мужу понадобилось брать униформу нашей горничной, чтобы отдать ее какой-то посторонней девице.

Подруги этого тоже не понимали, но не сомневались, что обязательно разберутся. Это они и пообещали Анне. И она сказала, что будет ждать.

— Кстати, у нас тут есть телефонный номер, по которому звонили наши мужчины, вы не скажете, он вам незнаком?

— Диктуйте!

Но когда Кира продиктовала номер, который был в распечатке Анжелы, она услышала в трубке стон.

— Это номер моего мужа.

— Ну, все ясно, — произнесла Кира, стараясь, чтобы ее голос звучал бодро. — Мы и раньше знали, что ваш муж и наши в субботу утром встречались. Этот номер лишь еще одно подтверждение этому.

Анна помолчала, а потом произнесла:

— Я сегодня молилась, чтобы Салим вернулся. Но... но не знаю. Покоя на душе как не было, так и нет.

— Вы должны надеяться.

— Я и надеюсь. А что еще мне остается?

Гермес и его подруга жили неподалеку от дома Анжелы. И когда все трое поднялись на этаж, они сразу же могли сказать, какая дверь им нужна. Конечно, самая потрепанная, ободранная и испещренная следами затушенных окурков. Казалось, сама дверь кричала о том, что за ней происходит нечто неладное.

Дверь им открыла худенькая девочка-подросток, чье лицо было завешано длинными, давно не мытыми лохмами.

— Скажи, ребенок, а Гермес сейчас у вас?

Девочка подняла голову, и все трое едва удержались от возгласа. На тонкой детской шейке была взрослая женская голова с маленьким личиком в ранних морщинах, с нереально огромными глазами, в которых светился ум.

— Вам чего надо? — произнесла женщина.

— Мы подруги Дины.

— И чего?

— Дины — сестры Гермеса.

Безразличие этой странной женщины на мгновение дало трещину, в глазах что-то блеснуло. Хотя, возможно, это был просто всполох от огонька сигареты, которую как раз в этот момент прикурила малышка.

— Ну, вы трое — подруги Динки, — проговорила она затем. — Это я поняла. А Гермес-то вам зачем?

— Дину убили.

— Я знаю.

— И вы так спокойно говорите?

— А чего тут переживать? — пожала плечами женщина. — Людей часто убивают. А Динка до халявы очень жадная была, такие в первую очередь и погибают. Бесплатный сыр, он только в мышеловке бывает. Гермес, кстати говоря, тоже такой. И тоже долго не протянет, если будет мать и сестру слушаться.

Надо же, а эта потасканная личность склонна к философствованию. Небось, еще и образование соответствующее имеет.

Оказалось, ничего подобного. Образования у Алиски, как эта дама велела себя называть, было самое минимальное. В школе, дотянув до восьмого класса эту ходячую неприятность, которая пила, курила, дралась, занималась сексом за деньги и употребляла наркотики чуть ли не с пятого класса, учителя с радостными криками «Ура!» выпихнули Алису в большой мир.

Увы, большой мир редко бывает добр к девочкам, не имеющим денег, влиятельных родителей или ослепительной красоты. Алиске на собственной шкуре пришлось прочувствовать, что значит бороться за жизнь, не имея ни первого, ни второго, ни третьего. Причем в ее случае это выражение имело не фигуральный, а самый что ни на есть прямой смысл. Бизнес, которому посвятила себя Алиска, частенько ставил ее на грань выживания.

Барыжничать, торговать наркотой — это не так просто, как может показаться на первый взгляд. Казалось бы, что тут такого? Взял партию наркотиков оптом, потом толкнул желающим в розницу, что сложного? Но чтобы этот бизнес шел стабильно, тут надо быть и психологом, и дипломатом, а когда нужно, так и жесткость уметь проявить. Да к тому же надо и клиента прощупать, чтобы не было подставы, чтобы он или его дружки не кинули, и с участковым договоренность иметь, чтобы не трогал, и самое главное, нужно следить, чтобы озверевшие от ломки посетители не выпустили тебе кишки за дозу вожделенного порошка.

Как скоро поняли подруги, особая опасность Алиски заключалась в том, что она была из наркоманов идейных. Из тех, кто употребляет всякую дрянь не просто для получения кайфа, для нее наркотик — это билет в другую реальность, по которой Алиска с удовольствием путешествовала, которая была для нее куда привлекательнее здешнего существования и в которую она охотно брала с собой попутчиков. Не ради последующего личного обогащения, а ради расширения кругозора этих людей.

— Дину я видела всего несколько раз, но мне хватило, чтобы создать о ней мнение, — объяснила она без всякой агрессии. — Пустышка.

— Почему? Отказалась у тебя наркотики пробовать?

Алиска нахмурилась и сухо ответила:

— Дело не только в этом.

— А в чем?

— Зряшную жизнь она вела. Пустую.

— А ты, выходит, не пустую?

— У меня хотя бы есть любимое дело, есть интерес в жизни.

— Людей на наркотики подсаживать?

— Приобщать к непознанному, — поправила Алиска. — А Дина только и думала, как бы ей ничего не делать, но чтобы при этом ни в чем себе не отказывать. Порожняк!

— Ты живешь с ее братом, могла бы проявить больше уважения к ней.

— С Гермесом у меня, если хотите знать, ничего личного, только бизнес.

— Неужели?

— Он у меня телохранителем работает, работенка, как вы сами видите, не пыльная, охранять-то особо и нечего.

И Алиска хлопнула себя по тощему боку, где кости, казалось, так и просвечивали сквозь тонкую, словно пергаментную кожу. Сколько же ей лет? По виду подруги бы дали ей сорок, по разговору — восемьдесят, но оказалось, что Алиске всего двадцать пять.

— Ладно, дашь ты нам поговорить с Гермесом?

— А Гермеса у меня нет. Он за деньгами поехал.

И вздохнув, Алиска прибавила:

— Думаю, что надо мне нового телохранителя искать!

— Что так?

— Не вернется он. Чувствую, что следом за сестрицей отправится. И мать тоже недолго на этом свете задержится.

— Откуда ты это знаешь?

— Видела.

— Где?

— В своих видениях.

У нее еще и видения бывают! Подругам хотелось застонать от собственного бессилия, а потом повернуться и уйти прочь.

Но Анжела не удержалась, полюбопытствовала:

— И что ты там видела?

Алиска на этот вопрос не ответила, она лишь повторила:

— Все трое в скором времени на том свете окажутся. Как другим этого желали, так им самим и повернется.

Алиска докурила сигарету, затушила окурок о дверь, теперь стало ясно происхождение всех этих черных точек, и, не прощаясь, пошла к себе.

— Постой!

— Чего вам еще?

— Давно Гермес ушел?

— Давненько. Утром еще.

— И до сих пор его нет?

— То-то и оно.

И, хмыкнув, Алиска сделала попытку закрыть свою дверь. Пришлось Анжеле ее перехватить. Алиска покосилась на нее, но драться не стала.

Отбросив все церемонии, Анжела спросила:

— Ты ведь знаешь, кого собирался шантажировать Гермес?

— А тебе зачем? — полюбопытствовала Алиска и, взглянув на Анжелу пристально, вдруг сказала: — Небось, хочешь убийство Динки сама раскрыть? Не сидится тебе спокойно? Приключений на свою задницу ищешь?

— Не только это.

— А что еще?

— Преступник, который убил Дину, может быть причастен к исчезновению двух человек. Мужей вот этих девчонок.

И Анжелка кивнула в сторону Киры с Лесей. Алиска тоже посмотрела на подруг и произнесла:

— Мужики — они ведь вообще частенько исчезают. Я вот три раза замужем была, и всякий раз мужья у меня исчезали внезапно. Вечером вроде все хорошо, а утром просыпаюсь: ни его, ни вещей нету. И ладно, если бы только свои вещи забирали, так ведь нет же, паскуды, мои тоже тащили!

Было удивительно слышать, что это тощее, изможденное наркотиками до последней стадии существо тоже знало мужскую любовь или, во всяком случае, ласку. Подруги не могли себе представить, кому же могло приглянуться столь худосочное и страхолюдное создание.

Алиска продолжала смотреть на них с каким-то странным выражением своих необычайно больших глаз.

И почувствовав, что она что-то знает, что она может им помочь, подруги дружно, в один голос, взмолились:

— Помоги нам!

— Даже не знаю... Вам что нужно-то?

— Все, что ты можешь сказать!

— Да я свой нос в чужие дела совать не привыкла, — пробормотала Алиска.

И еще раз покосившись на подруг, она вдруг спросила:

— Любите своих мужиков?

— Очень.

— И потерять их боитесь?

— Не то слово.

— Эх, ладно! — решилась Алиска. — Была не была! Хоть и не в моих это правилах, но уж расскажу вам то, что знаю про это дело. Да и по правде сказать, большой заслуги моей в этом нет. Гермеска так громко говорил, что и глухой бы услышал, а не только мои чуткие уши. В общем, все дело утром началось. Гермеске его мать позвонила и сказала, что Дина убита и чтобы он к ней немедля ехал, поговорить им надо. Гермеска сразу же к ней рванул, о чем-то там с ней перебазарил, а когда через пару часов ко мне вернулся, то сразу же начал звонить тому человеку.

— Какому человеку?

— Ну тому, кто Динку замочил.

— Гермес ему звонил? У него был его номер телефона?

— Раз звонил, значит, был.

— А откуда?

— Мне кажется, что ему этот номер мать дала или в вещах у Дины они его нашли. Точно не знаю. Но думаю, что за тем Гермес к матери домой и ездил. Они там все обсудили, а потом Гермес действовать начал.

И Алиска принялась вспоминать, как разворачивались события дальше:

— Гермес звонил этому типу несколько раз, да так и не дозвонился. И потому сказал, что поедет к нему так, без приглашения.

Подруги удивились еще больше:

— Значит, у него и адрес был?

— Выходит, что так.

— Ну а что Гермес хотел от этого человека, ты не слышала?

— Мне Гермес этого не говорил, а у себя в комнате сам с собой разговаривал, вроде как речь свою для того типа готовил.

— И ты подслушала?

— Не удержалась. И как я понимаю, Гермес хотел обвинить этого типа в том, что он прикончил Динку и лишил всю их семью добытчицы и кормилицы, хотя это вранье, потому что Динка сама всегда искала, к кому бы присосаться. Но Гермес все так повернул, что вроде как Дина была единственной, кто его убогого и мать-инвалида содержала. А теперь Дина мертва. И за это Гермес решил с убийцы сестры вроде как моральную компенсацию себе стребовать. Ну, на похороны приличные и всякое такое.

— Как же Гермес не побоялся?

— Когда речь о деньгах заходит, у Гермеса в башке все переклинивает.

— И чем дело закончилось?

— Ну чем... Известно чем, ушел Гермеска.

И помолчав, Анжела добавила:

— Вы не думайте, я не совсем сволочь. Я Гермесу сразу сказала, что если он пойдет, то уже больше не вернется. Но он расхохотался и сказал, что не такой он дурак и подстраховался. Что у его матери есть адрес дома, куда тот тип Динку утром в субботу возил. И что если с Гермесом что-то случится, то эта информация тут же окажется в полиции.

— Значит, адрес есть у тети Люды. И если с Гермесом что-то случится, то она должна будет передать в полицию эти сведения?

— Да.

— Думаешь, он сказал тебе правду? Думаешь, его мать тоже может быть замешана в шантаже?

— Да уж без нее не обошлось. Они все такие в семье, что брат с сестрой, что мать их. Жадные и глупые.

— А тебе Гермес сказал, что это за человек? Как его имя? Где искать?

— Вы чего? — поразилась Алиска. — С чего Гермесу мне все эти подробности выкладывать? Чтобы я, чего доброго, тоже свою долю требовать стала?

— А ты бы стала?

— Да никогда! Я не жадная, мне моего заработка хватает.

И тут Леся не выдержала. Несмотря на то что Алиска помогла им, рассказала, что знала, Лесино чувство справедливости прорвалось наружу и она с горечью выпалила:

— Какой заработок, Алиса? Детей на наркотики подсаживать? Это твой заработок?

Но Алиска на нее ничуть не обиделась. Она лишь пожала плечами и сказала:

— Во-первых, детям я не продаю. А те, кто ко мне приходят... им уже ничего не поможет. Я вам так скажу: заядлым наркоманом только тот становится, в ком жадности много. Тогда он и кайф хочет постоянно продлевать, и все больше его иметь, удержу не знает. Конечно, рано или поздно я свое получу, вот и не страдаю. Только люди вокруг меня в большинстве своем дико жадные, и Гермес на эту удочку повелся, так что придется мне, видно, нового охранника себе искать.

И уже уходя, эта странная женщина грозно прибавила:

— А про Гермеса и его мать, попомните мое слово, скоро вы в криминальных сводках услышите. Не одна Дина прославится, эти тоже вместе с ней окажутся.

— Не нагнетай.

— Сама боюсь. Честно скажу, Гермеса мне даже жаль, я к нему успела привязаться. И он совсем неплохой парень. Это его мать с сестрой подучивают, а сам по себе он ничего, жить с ним вполне можно.

Теперь тон голоса, которым были произнесены эти слова, был уже не пророческим, а скорее жалобным. Так что девушки заинтересовались:

— Так тебе Гермес нравится?

Алиска смутилась.

— Какая тут еще любовь? — забормотала она. — Придумаете тоже. Просто жалко их всех. В принципе, не такие уж плохие люди все трое, а жадность их проклятая до могилы всех троих доведет.

И с этими зловещими словами Алиска скрылась за дверью. Так как напоследок она не прибавила больше ни словечка, то тяжелая фраза так и осталась висеть в воздухе. Кира с Лесей с трудом удержались, чтобы не сплюнуть, как от нечистой силы.

Глава 9

К сожалению, слова Алиски в какой-то мере оказались пророческими.

Когда после разговора с ней подруги вместе с Анжелой отправились к Людмиле Петровне, чтобы поговорить с ней по душам, то первым, кого они встретили в их дворе, был дядя Володя. Старый пьянчужка сидел на лавочке с таким потерянным и бледным видом, что трем женщинам стало ясно: опять случилось что-то неладное.

— Дядя Володя, привет! — произнесла Анжела, подойдя к старику. — Вы тут чего сидите?

Но дядя Володя лишь поднял на нее бессмысленный взгляд.

— Выпала! — пробормотал он вместо ответа.

— Кто выпал?

— Из окна выбросилась! — продолжал бормотать дядя Володя, явно не очень-то хорошо понимая, кто перед ним стоит. — Прямо в лепешку!

— Вы это о чем, дядя Володя?

— В блинчик ее раскатало!

Анжела насторожилась. Зная о том, какому пороку подвержен сосед Дины, девушка втянула ноздрями воздух, чтобы убедиться, что от дяди Володи не пахнет спиртным. И тут же нахмурилась. Конечно, попахивало, но не так, чтобы очень уж сильно. Если дядя Володя и выпил, то немного.

— Дядя Володя, — подступила она к нему вновь. — Говорите, что случилось?

Тот наконец собрался с мыслями и взглянул на Анжелу уже более осмысленно.

— Так соседка моя... — сказал дядя Володя. — Того... Выбросилась.

— Как?

— Прямо из окна выбросилась. Выходит, не выдержала горя, бедная женщина. Да и то сказать, такое горе.

— Кто выбросился-то?

— Людка...

И тут же, словно вспомнив, что речь идет о мертвом человеке, быстро поправился и сказал:

— То есть Людмила Петровна.

— Что? — вскрикнула Анжела. — Где она?

— Да уж забрали ее, соскребли с асфальта болезную. Только что врачи уехали.

У Анжелы прямо ноги подкосились.

— Дядя Володя, как же это произошло?

— Врачи сказали, такое бывает. У человека от горя крыша едет. А Люда дочь потеряла. Врачи, как про Динку услышали, так сразу и сказали, это от горя она из окна выбросилась. Не справилась, выходит, со своим горем, такие вот дела.

Дядя Володя монотонно бубнил одни и те же фразы себе под нос. Он все-таки был чуточку пьян, а может, находился в шоке. Или то и другое вместе.

Но Анжела уже плотно подступила к свидетелю:

— Дядя Володя, расскажите все как было!

— Так нечего тут особо рассказывать-то. Выпала.

— Тетя Люда дома одна была?

— А с кем же ей там быть? Одна. Я в магазин ходил. Как раз домой возвращался, по двору шел, пивка бутылочку себе взял, беленькая в авоське у меня была, иду себе, жизнью наслаждаюсь, представляю, как сейчас за помин грешной Динкиной души выпью, а она вдруг прямо передо мной как... хрясь...

— Дина?

— Почему Дина? — рассердился дядя Володя. — Людка! Людмила Петровна наша. И главное, хоть бы звук какой подала, пока падала. Нет, молча все. Врачи говорят, это у ней от шока, такое бывает. Но им-то хорошо рассуждать, а мне каково? Прямо передо мной ведь упала, как нарочно караулила. А может, и впрямь караулила? У них вся семейка такая, могла и назло сделать. Углядела у меня бутылку в авоське и решила напоследок настроение мне испортить! Ей-то хорошо, померла быстро, а мне как с асфальта ее собрать?

— Кого собрать? — окончательно потерялась Анжела. — Тетю Люду?

— Тьфу ты! Какую еще тетю Люду? Водку! Водку-то я разбил! Как Людка у меня перед носом шмякнулась, так у меня прямо руки-ноги ослабели, авоську-то я выпустил, беленькая и разбилась. Уж я ползал-ползал, а только ничего не поделаешь, все разлилось. Была бы еще тряпка какая, собрал бы, да только задним умом все крепки. Пока я про тряпку додумался, испарилось уже все. Да и народ набежал, затоптали лужу-то. Такие вот дела.

Дядя Володя мог еще долго бормотать о разбитой водочной бутылке, гибель которой потрясла его, похоже, гораздо сильнее, нежели смерть соседки. Странно устроены люди. Жили бок о бок много лет подряд, но вот погибла Людмила Петровна, а у ее соседа только и мыслей, что об утраченной им выпивке.

Но Анжеле было некогда разбираться с самочувствием дяди Володи.

— Значит, вы были во дворе, когда произошла трагедия?

— Когда Люда из окна выпала? Да, тут я был. Говорю же, домой шел.

— А дома была одна тетя Люда?

— Ну да. Хотя...

— Что?

Дядя Володя ответил, но неохотно:

— Вроде бы темнело что-то в окне. Кухня-то у нас во двор выходит, а комнаты на улицу. Вот в кухонном окне вроде что-то мелькнуло. Темное.

— Значит, дома кто-то был?

— А я знаю? Меня дома не было. Я в магазин ходил.

— Дядя Володя, а деньги у вас откуда? Вы же говорили, что до пенсии вам еще далеко.

— Ну и что? Мне Люда сама денег дала.

— Тетя Люда? — изумилась Анжела. — Дала вам денег? Зачем?

— Так это... Чтобы я за помин души дочери ее выпил.

— Не может быть такого, — произнесла Анжела. — Тетя Люда пьянство не одобряла! Категорически!

— Верно, вечно мне мозг пилила, чтобы я трезвую жизнь вел. А тут вот сама дала. Честно, я не вру! Пятьсот рублей сунула и из дома спровадила.

Подруги слушали рассказ дяди Володи и понимали, что история эта выглядит, мягко говоря, странно. Людмила Петровна, по отзывам людей, близко ее знавших, не была любительницей раздавать направо и налево

свои кровно заработанные. Да еще на водку пьянице-
соседу, с которым у нее уже много лет подряд шла за-
тяжная коммунальная война.

И значит, единственный повод, который мог заставить Людмилу Петровну поступить подобным образом,
была необходимость срочно сплавить куда-то соседа.
Понимая, что, едва у него появятся деньги, пьяница тут
же побежит в ближайший магазин, чтобы купить себе
выпивку, она дала ему денег, чтобы какое-то время побыть одной.

Но зачем? Только лишь для того, чтобы провести
последние минуты своей жизни в тишине и уединении?
Или же у Людмилы Петровны была куда более веская
тому причина? Что за человек был в квартире, чья тень
мелькнула в окне позади выпавшей тети Люды? И если
в квартире был кто-то еще помимо тети Люды, то сама
ли она из окна выпала?

Что, если, спровадив своего сына шантажом добы-
вать деньги с убийцы дочери, она решила и сама заняться той же коммерцией? Встретилась с убийцей Дины,
хотела его пощипать, да только не учла, что этому преступнику легче ее просто убить, чем платить! Или сам
преступник нашел женщину, которая знала адрес дома,
куда ездила Дина с господином Салимом.

— Дикость какая-то! — вздохнула Леся. — Когда
Алиска рассказала, что это мать Гермеса наущала шантажом заняться, я еще тогда подумала, что это дикость.
Нет, не могла она поступить подобным образом! Это же
была ее родная дочь!

Кира кивнула головой и прибавила:

— Не верю, что мать на смерти родного дитя нажи-
ваться станет!

Но Анжела в ответ лишь вздохнула:

— А я вот очень даже верю.

— Веришь? — удивились подруги.

— Да. Верю. Тетя Люда не была плохим человеком, просто она была... как бы это помягче выразиться... Ну, очень расчетливой.

— Хочешь сказать, что она могла устроить бизнес на смерти дочери?

— Ну, не надо утрировать. Какой тут бизнес? Тетя Люда могла рассуждать так: дочь умерла, назад ее уже не вернешь. Но она-то ведь еще жива, значит, надо извлечь максимальную пользу из ситуации. Она всегда так поступала, я ее хорошо знала, так что можете мне поверить, она бы ни минуты не колебалась, предоставься ей возможность заработать на смерти Дины. И еще считала бы потом, что дочка не зря умерла.

Слушать подобные рассуждения подругам было дико. Но Анжела говорила так, словно знала, о чем говорит.

— Ты на женщину не наговариваешь? — спросила у нее Кира с осторожностью. — Все-таки вы с покойницей не были так уж близко знакомы.

— Да-да, ты сама говорила, что с Диной в школе не дружила, сошлась с ней лишь за последние годы.

— И что? Динка в разводе три года, мы с ней тесно дружим года два с половиной... Уж нагляделась! И на нее, и на ее маму, да и на братца тоже успела посмотреть. Нет, я не говорю, что они были ужасные люди, но предприимчивость была у них просто в крови. Ну не могли они нормально общаться с людьми, всюду им цифры мерещились.

— Какие цифры?

— Ну, рубли и доллары. И желательно, чтобы с несколькими нулями. Вот этот может тем-то и тем-то быть нам полезен. Этот то-то и то-то для нас сделает. А того мы так-то и так-то развести можем. Так и жили. Серьезно, никого они не обижали, но всюду, где только могли, свою выгоду старались поиметь.

Что ж, хотя подругам и трудно было поверить в существование подобной меркантильности, они понимали: Анжела лучше знала покойную Дину и ее мать, теперь тоже покойную.

— Плохая или хорошая, а надо разобраться, что с ней случилось!

Но в случившейся с Людмилой Петровной трагедии уже разбирались специалисты. Из подъезда вышли несколько полицейских. Среди них был и тот следователь, который вел дело об убийстве Дины. Следователь задрал голову вверх и смотрел на окно, из которого выпала женщина.

— Высота тут приличная. Говорите, летела молча?

Вопрос был задан молоденькому участковому, которому довелось оказаться на месте происшествия в числе первых.

— Да, — кивнул он головой. — Никто из свидетелей во дворе не слышал ни единого звука до тех пор, пока тело не упало на землю. Тут уж закричали женщины и дети заплакали.

— Есть два варианта, почему она молчала, — хмыкнул следователь. — Либо вжилась в роль, настроила саму себя, что умирает, и не хотела своими воплями портить мгновение. Либо... Либо потому, что просто не могла кричать.

— Почему не могла?

— Была уже мертва или, как предположение, находилась без сознания.

— Но тогда должен был быть кто-то, кто сначала ее этого сознания лишил. А затем помог женщине выпасть из окна.

— Думаете, убийство? Она была в верхней одежде, словно собиралась на улицу. Может, к окну подошла, да голова закружилась, она и бухнулась вниз?

— Так или иначе, с этим будут разбираться эксперты...

— Товарищ следователь! — окликнула его Кира. — Добрый день, вернее, вечер!

Следователь окинул троих девушек далеко не дружелюбным взглядом.

— А-а-а... И вы тут. Какими судьбами?

— Чисто случайно, мимо проходили.

— Говорите, оказались на месте преступления по чистой случайности?

В голосе следователя слышался откровенный сарказм. Он явно в такие случайности не верил и верить не собирался.

— Ну, не совсем случайно, — исправилась Кира. — Вообще-то мы хотели поговорить с Людмилой Петровной.

— И как? — оживился следователь. — Поговорили?

— Не успели.

Следователь помрачнел.

— То-то и оно, что не успели. А похоже, покойнице было что рассказать...

— Нам тоже есть что рассказать вам.

Следователь замер.

— Мы только что разговаривали с женщиной, у которой жил Гермес — брат Дианы. Так Алиса говорит, что Гермес сегодня с утра отправился куда-то по настоянию своей матери. И до сих пор от него нет ника-

ких известий. Ни трубку он не берет, ни сам не звонит.
У Алиски дурные предчувствия на его счет.

— Стойте, стойте, — перебил следователь. — Ничего
не пойму из вашей трескотни.

— Если хотите, мы вам более подробно расскажем
об этом.

— Ну, рассказывайте.

— Только не тут, а там... наверху. В квартире.

И что было делать бедному следователю? Будь он человеком строптивым, начал бы сопротивляться, ослож-
нив жизнь и самому себе, и подругам. Но Кире с Лесей
повезло, следователь бы человеком покладистым, так
что он лишь кивнул головой:

— Идите за мной. Эксперты осматривают квартиру,
а мы с вами пообщаемся. Но учтите, тут вашего защит-
ника нету, так что будете путаться под ногами — я вас
мигом выставлю вон.

— Не будем!

— Мы тихонько!

Подруги не могли толком сказать, что они надеялись
обнаружить в квартире погибших матери и дочери. Но
им не давала покоя мысль о том, что сначала Дина поехала куда-то на белой «Ауди» и была убита, потом Гермес пропал, а теперь вот и Людмила Петровна погибла,
а перед этим повела себя странно, совсем нехарактерно
для нее. Выдворила дядю Володю из квартиры, а потом
надела уличную одежду и сиганула в окно кухни. Нет,
вряд ли она выпала из окна по своей воле.

— Если Дина оставила матери телефон человека, с
которым в субботу утром ее познакомил Салим, и адрес
дома, куда он ее возил, нам надо их найти.

— Будем надеяться, что Дина не стала слишком далеко прятать эти записи. Иначе нам их не найти.

— Но с другой стороны, если Дина не спрятала улику надежно, то преступник мог взять ее первым. Он ведь побывал в квартире до нас!

Этого нельзя было не учитывать. И Кира с Лесей ощутили внутри себя поднимающуюся горечь. Что, если они опять не успели? Что, если преступник снова опередил их?

Дверь в квартиру погибшей женщины оказалась приоткрыта. Дядя Володя, который уже несколько пришел в чувство, скромно сидел в уголке и лишь время от времени обращался к снующим мимо него полицейским:

— Чего хоть ищете-то?

И в конце концов один из них с досадой отозвался:

— Если бы мы это сами знали, старик!

— Ну а как это хоть выглядит?

— Отстань, дед. Сидишь себе и сиди.

Дядя Володя замолчал, но, улучив момент, дернул Анжелу за рукав:

— Анжелка, чего они все ищут, а?

— Хотят понять, куда Дину утром возил тот человек на белой «Ауди».

— А-а-а... — пригорюнился сосед. — Этого я не знаю. А что? Это важно?

— Важно, дядя Володя. Дина туда не одна поехала, кроме владельца белой машины с ними были еще два человека, двое мужчин. И они оба пропали.

— И чего? Полицейские ищут их теперь?

— Да.

— Небось, важные шишки эти двое?

— Наверное.

Дядя Володя снова примолк. А потом неожиданно встал и поковылял куда-то по коридору. Никто его не остановил, никто не спросил, куда он направляется.

А дядя Володя, дойдя до тумбочки, где раньше стоял телефон, тихонько поманил Анжелу рукой:

— Иди-ка сюда!

И когда Анжела подошла, он кивнул ей на стену:

— Гляди.

Анжела взглянула на неровно поклеенный кусок обоев, на который указывал ей дядя Володя. Что и говорить, ремонт в квартире Дины и ее матери следовало бы сделать еще лет этак десять назад. Уже и тогда ободранные стены, серые от грязи двери и пожелтевший, в паутине потолок требовали шпатлевки, побелки и покраски. Но Дина с матерью подобную статью расходов не предусматривали, их возмущала одна только мысль: что ремонт они сделают вдвоем, а пользоваться им будут все четверо. Эти двое — дядя Володя и Гермес, который, сказать откровенно, старался ничего из своего заработка не отдавать матери. Ну а уж про дядю Володю и говорить нечего.

Так что ремонт Дина с матерью сделали лишь в своей комнате, а прихожую оставили в первозданном виде. Теперь старые обои местами отклеились от стен и кем-то были содраны, но местами они еще держались: пожелтевшие, засиженные мухами, покрытые жирными пятнами — гадкие до невозможности. И сейчас Анжела с недоумением смотрела на дядю Володю, который взглядом указывал ей на эти обои. Что он хочет чтобы она там увидела?

Но, проследив за его взглядом, Анжела заметила, что над тумбочкой обои вроде как покрыты какой-то вязью. А приглядевшись, поняла, что это не вязь, а записи, сделанные рукой Дины, ее матери и даже Гермеса.

— Телефон-то они давно в свою комнату переставили, — хихикнул дядя Володя, — мол, раз я за него не плачу, нечего мне им и пользоваться. Ну, да это шут с ними, штришок к портрету твоей подружки. Только к чему я тебя сюда привел: память-то у них всех не ахти какая крепкая, а поговорить они любили, да только друг от друга таились. Понадобится Люде с кем-то посудачить, она трубку с блока возьмет и сюда чешет. Тут у них и стульчик, меня-то они совсем не стеснялись, думали, если я выпить люблю, то целыми днями пьяный валяюсь. А я, может быть, просто рожи их видеть не хотел, вот и торчал у себя в комнате!

Анжела, не слушая дядю Володю, с любопытством смотрела на записи. Если все семейство делало записи на этих старых обоях, то...

— Вот и Диана по примеру своей матери тоже тут на обоях что ей нужно для памяти карябала, — подтвердил ее догадку дядя Володя. — Привычка у них с матерью такая была. Ты посмотри, может, что тебе и пригодится.

Анжела окинула взглядом поле деятельности. Похоже, этими обоями пользовались в качестве записной книжки не один месяц и даже не один год. Тут были еще записи домашних школьных заданий, которые делала Диана. Были телефоны многочисленных подружек Гермеса. Были рецепты домашних солений и выпечки, сделанные рукой Людмилы Петровны.

Но Анжела заметила, что небольшой кусок обоев был ободран начисто. Причем было видно, что оборвали его аккуратно. Места разрыва бумаги были еще совсем свежие, словно бумагу сорвали совсем недавно, может, даже сегодня.

— Дядя Володя, а это тут было раньше?

Сосед взглянул на стену.

— Дыры не было, это точно, — задумчиво произнес он. — Откуда тут дыре этой взяться?

— Вообще-то дыр в коридоре хватает, — заметила Анжела.

— Обои в коридоре у нас Дианка еще несколько лет назад посрывала, когда надеялась, что очередная подружка ее брата ремонт за свой счет им сделает. Да только Гермес потом с той девчонкой поругался, так и пришлось Диане без новых обоев дальше жить. Обозлилась она тогда на Гермеса, просто жуть. Чуть ли не месяц его поедом ела, а потом еще с полгодика косточки догладывала. Но те оборванные обои в коридоре были, оттуда она ремонт начинать хотела. А эти, в прихожей, она не трогала, решила: пусть сначала в коридоре сделают, а потом уже тут.

— Тогда откуда взялась эта дырка?

— А кто ее знает? Вроде как оторвал кто.

Оторвал, но кто? Возможно, сама Дина?

Анжела подозвала к себе Киру с Лесей. И три девушки довольно долго стояли и смотрели на эту дырку, искренне жалея, что бумага на обоях была слишком плотной и это сводило на нет всякую возможность прочитать то, что могло бы отпечататься под обоями на старой газете. Когда-то газетами были оклеены все стены в квартире, и они во многих местах еще оставались там.

В этот момент к ним подошел следователь и, окинув всю компанию подозрительным взглядом, спросил:

— Что это вы тут на стене высматриваете?

— Вот... Дырка.

— Ну, дырка, и что? Тут вообще ремонт никогда не делался. Дырки никого удивлять не должны.

— Вы не понимаете...

И Анжела объяснила, почему отсутствие этого куска обоев может представлять такую важность.

— На этом обрывке мог быть записан адрес того дома, куда ездила Дина, переодевшись в костюм горничной господина Салима.

Узнав об исчезновении из дома Салима костюма горничной, а также посмотрев фотографии в сети, на одной из которых Дина как раз и щеголяла в таком костюмчике, следователь распорядился:

— Первым делом показать фотографии жене Салима.

— Она их уже видела и опознала костюм горничной.

— Так... А сам дом?

— Нет, она понятия не имеет, у кого из их знакомых может быть такой дом. Во всяком случае, за своих знакомых она может ручаться. Все они люди со вкусом, подобной вульгарной пошлости в оформлении внутренней отделки дома никто из них бы не потерпел.

— Значит, остаются друзья ее мужа.

— Или его деловые знакомые.

— Но где же этот дом? Вот бы нам с вами это выяснить.

Следователь принялся вновь рассматривать фотографии, которые показала ему Анжела. Дольше всего он задержался на той, где был вид из окна. Лес, перед ним поле. Тонкая нитка ручья или небольшой речки. Все очень мирно, пасторально, но, увы, совершенно неинформативно. Ни дорожных указателей, ни каких-либо вывесок с указателями, ни прочих ориентиров не было и в помине.

И все же следователь фотографиями заинтересовался. А изучив их в подробностях, проворчал что-то о не очень умных дамочках, у которых ветер в голове и шило в одном месте. При этом вид у следователя был хмурый.

Следователь извлек из кармана телефон:

— Алло, Леша? Ты? Тело уже доставили? Слушай, будь другом, пошарь у нее по карманам. Посмотри, нет ли обрывка старых обоев. Есть? В руке? Обрывок? И что на нем написано?

Голос следователя сделался возбужденным и радостным:

— Что? Три цифры? Один, один, семь? То есть 117? Ага, спасибо, понял. И еще две буквы перед ними? Какие? Строчные «а» и «я»? Вроде названия? Цветочная 117? Или Ленинградская 117? Хорошо. А еще что-нибудь есть?

Но оказалось, что на обрывке обоев, обнаруженном в руке Людмилы Петровны, больше ничего нет. Да и сам обрывочек был совсем маленьким, в половину спичечного коробка, в то время как на стене отсутствовал кусок, больший по размеру раза в три.

Следователь повернулся к подругам и сказал:

— Что ж, по крайней мере, теперь ясно, что Дина могла оставить своим родным адрес дома, куда ее возил водитель белой «Ауди». И вероятно, ее брат нынче тоже отправился по следу, указанному ему сестрой и матерью.

— Мы тоже так думаем.

— М-да... — протянул следователь. — Дела... И говорите, утром ушел и до сих пор не возвращался?

— Нет, не возвращался.

— Да-а-а... — повторил следователь. — Дела. Ну, рассказывайте что знаете.

И подруги, стараясь говорить максимально подробно, рассказали следователю о разговоре с Алиской.

— Звонил кому-то? Хм... Интересно. Надо сейчас проверить, кому он там названивал.

Но хотя следователь и проверил это, однако его ожидало разочарование. Гермес, вернувшись от матери, звонил на телефон Салима. А этот номер подругам был благодаря Анжеле известен и раньше. Так что ничего нового они не узнали. Зато помогли следователю, оказали услугу хорошему человеку, а это уже само по себе было приятно.

Между тем у следователя был еще один вопрос:

— А на чем же, интересно знать, наш молодой человек в путь-дорогу отправился?

Все посмотрели на Анжелу, которая считалась авторитетом во всем, что было так или иначе связано с семьей погибшей Дины.

— У Гермеса была машина, — поднатужившись, вспомнила Анжела. — Старенькая «Лада», но еще на ходу. Наверное, на ней поехал.

— Узнаем.

Машина Гермеса нашлась довольно скоро. Ее обнаружили ребятишки, которые играли в войнушку в заброшенном песчаном карьере неподалеку от города. Они увидели эту машину еще днем, и их восторгу не было предела. Настоящая машина, пусть и разбитая, она могла выполнять роль вражеского танка, бронетранспортера и даже укрепления, которое так весело штурмовать.

Но затем благоразумие в ком-то из ребят восторжествовало. И, выбравшись из карьера, они сообщили взрослым о своей находке. Так что к тому времени, как следователь сделал свой запрос, ему практически сразу был выдан ответ.

— И ждать не пришлось. И искать не понадобилось. Машину мне выдали, что называется, на блюдечке с голубой каемочкой. Ребятишки, которые ее нашли, говорят, что они там появились во втором часу дня, а машина Гермеса была уже там.

Это совпадало с тем, что узнали сами подруги от Алиски. По ее словам, Гермес уехал еще утром.

— Машина в карьере была, а Гермес? Его в машине не было?

— Машина досталась мальчишкам пустой. Сейчас полицейские осматривают карьер. Возможно, тот, кто сбросил в него машину, припрятал где-нибудь поблизости и тело молодого человека.

Но поиски Гермеса в карьере и его окрестностях ни к чему не привели. Ни тела, ни следов убийства обнаружено не было. Гермес исчез бесследно.

— Будем надеяться на лучшее.

Однако когда Гермес не вернулся домой ни этим вечером, ни на следующий день, даже следователь был вынужден признать, что дело пахнет жареным. А уж сами подруги и вовсе не скрывали своего отчаяния. Гермес был третьим, кто, вероятно, погиб от руки злодея.

— Алиска предрекала, что и Гермес отправится следом за сестрой и матерью. Так оно и случилось.

Полиция по наводке подруг всерьез начала поиски Гермеса, который мог назвать убийцу, отправившего на тот свет его сестру, или по крайней мере назвать человека, увезшего Диану в ее последнее путешествие, но пока безрезультатно. Находка машины и ее осмотр ничего не дали.

Шло время, розыски продолжались, а надежды на то, что Гермеса удастся найти живым, таяли с каждым часом. Похоже, предсказание Алисы сбывалось самым жутким образом...

Глава 10

Между тем Никита и его коллеги параллельно с полицией и подругами тоже вели свое собственное расследование. Однако коллегам Эдика и Лисицы было проще действовать, чем той же полиции, и уж, конечно, гораздо проще, чем подругам.

У Никиты и его коллег была, разумеется, информация особого рода, которой они, впрочем, не делились ни с полицией, ни с подругами. Никита точно знал, с кем должны были встретиться Лисица и Эдик в «Трех корочках», он знал, кто были те люди, которые застрелили трех его коллег.

Молодой офицер понимал, что они вступили в серьезную схватку, им противостоит враг крайне опасный, хорошо организованный, сплоченный ненавистью ко всему российскому, ко всей нашей стране, всем ее гражданам, населяющим необозримые просторы. Но все же Никита не терял уверенности в том, что ему и его товарищам рано или поздно удастся вычислить логово мерзавцев и накрыть их там всех.

Подругам же, которые попытались добиться от него правды о том, где их мужья находятся или могут находиться, он советовал одно и то же:

— Не лезьте в это дело.

— Но наши мужья...

— Вы им ничем не поможете, только погибнете сами!

Никита говорил решительно.

— В деле замешаны такие силы, что вам, двум слабым женщинам, не остановить их.

— Но эти люди убивают других!

— Верно. Троих наших они положили. И еще двоих мы не можем найти. Но ваши мужья найдутся, я в этом уверен.

Ах, если бы подругам — его уверенность!

— Да, в пятницу у нас было жарко, — произнес Никита и замолчал.

— Почему было? — возмутилась Кира. — Еще ничего не закончилось, все и сейчас продолжается! Диану убили! Ее мать, а может, и Гермеса тоже убили.

Никита был не согласен.

— Нет, это не могли сделать те же люди.

— Почему?

— Сразу же после нападения на наших коллег враги залегли на дно. Уверен, что все, кто мог, уже покинули нашу страну. А те, что остались, надежно укрылись. Они все трусы и в открытую действуют только будучи твердо уверенными, что выиграют. Так что мы их победим. Вычислим и победим. Пусть на это у нас уйдут годы, но мы сумеем отомстить этим гадам за смерть наших товарищей!

Годы! Эти слова отдались в головах похоронным звоном. Нет, подруги не могли так долго ждать возвращения своих мужей. Да и где гарантия, что спустя годы их мужья вернутся к ним в пригодном, так сказать, для употребления в семейной жизни состоянии? Годы в каземате, где их ежедневно будут истязать пытками, морить голодом и всячески издеваться над ними, способны свести с ума самого стойкого человека.

И подруги накинулись на Никиту:

— Как ты можешь быть таким бесчувственным! Ведь это не просто какие-то люди, они — твои друзья! Надо не ждать, а действовать! Возможно, как раз в эту минуту их пытают, допрашивают!

Лицо Никиты смягчилось.

— Я все понимаю, — произнес он. — Понимаю,
но... Но если вы будете дергаться, то и мужчин своих не спасете, и сами можете погибнуть. Говорю вам,
успокойтесь, возвращайтесь домой, занимайтесь своими делами. Все, что в наших силах, мы делаем. Вам
остается только ждать и молиться, чтобы правое дело
победило.

Пожалуй, впервые за всю свою жизнь подруги почувствовали себя беспомощными. И за сочувствием они
пошли к своему надежному утешителю и другу — тете
Наташе, супруге старого генерала.

Тетя Наташа встретила их ласково, хотя в глазах у
нее стояли слезы.

— Ох, девоньки, — произнесла она, — гляжу я
на Славку и плачу. Каково мальцу без отца-то будет
расти?

— Тетя Наташа! Вы что?

— Да уж не чаю я наших мальчиков живыми увидеть, — призналась тетя Наташа. — И вы смиритесь, что
их больше нет, так вам легче дальше жить будет.

— Тетя Наташа, что вы говорите!

— Знаю что говорю, — отрезала женщина. — Сама
через это прошла. Это ведь у меня второй брак, или вы
не знали?

— Нет, не знали.

— Первый муж у меня тоже разведчик был. Убили
его. Ну, я горевала, конечно, а потом снова полюбила и
замуж вышла. И вы опять будете счастливы.

— Но наши мужья живы! Мы это знаем! Им сейчас
плохо, тяжело, но они живы!

— Не буду вас разуверять, — покачала головой тетя
Наташа. — Но уж больно серьезные люди за этим всем

стоят. Такие живых свидетелей не оставляют. Я и женам этих двух пропавших ребят — Сверчка да Гвоздики — то же самое посоветовала. Отплачьте свое поскорее, да и живите дальше.

— А вы знаете, что за люди стоят за преступлением?

— Догадываюсь.

— И кто? Тетя Наташа, скажите нам!

— Скажу. Только никаких подробностей вы от меня не ждите. Я подробностей-то и сама не знаю. А вот чем ребята занимались перед тем, как эта катавасия приключилась, я знаю.

— Чем? Скажите!

Но тетя Наташа молчала, словно колеблясь, правильно ли она делает, выдавая подругам эту информацию.

— Ладно, — пробормотала она в конце концов, — добро бы я вас еще не знала, а так ведь знаю, что вы за личности. Нипочем ведь не успокоитесь, пока сами голову не сложите. Я уж и генералу нашему говорила: объясни им что к чему. Пусть помогают чем могут.

— А он?

— Ни в какую! Нельзя, говорит. В другой раз — пожалуйста, а сейчас дело такой важности, что никак нельзя посторонних вмешивать. И ты не смей! А я вам так скажу: в оружии все дело.

— Что?

— Наши военные переговоры вели с одной страной, чтобы оружие им туда поставлять. Американцы всем странам запретили с ними дело иметь, даже торговать, а уж про оружие и вовсе говорить нечего. Ну а наши генералы не послушались. Решили, что все равно будут продавать оружие в ту страну, потому что иначе тамошнему населению совсем пропасть. Что там пьяная американская солдатня творит, вам и не передать. Я фотографии видела, так у меня мороз по коже. Наверное, фашисты и то такого не творили. Вот с такими бандитами бороться местным мужчинам оружие и нужно. Они и так уже против этих носителей идеалов демократии здорово злые, а если им оружия маленько подкинуть, то... Отобьются, как миленькие. Вьетнам отбился, и эти отобьются...

Подруги слушали тетю Наташу и чувствовали, как холодеет у них кожа на затылках. Так вот чем занимались их мужчины в последнее время. Вот какие переговоры готовили. Неудивительно, что они стали такими дергаными. Подобное задание смертельно опасно.

— Откуда вы все это знаете, тетя Наташа? Кто вам рассказал?

— А мне и не надо ничего рассказывать. Я и сама уши имею. Какие разговоры в моем доме происходят, все слышу.

— И чем же конкретно должны были заниматься ребята?

— Нашим ребятам поручено было контакты установить, переговорить, что да как. Предварительная работа, одним словом. Салим тоже им в этом здорово помогал. Со своими, кто не боится против врага идти, наших именно он свел. И встреча уже у них была назначена. Все собрались, как договорено было. Да только какой-то пес, чтоб ему вечно в адском пламени корчиться, наших всех с потрохами сдал.

И помолчав, тетя Наташа закончила:

— Ну а что дальше было, вы сами знаете. Троих ребят мы уже потеряли. Двоих забрали. И ваши пропали. И знайте, мое мнение, что один из них и есть тот провокатор, который всех и сдал. Возможно, что провокатора уже убили. Предателей ведь никто не любит, могли и избавиться от него. Может, это кто-то из трех убитых... Только я думаю, что они провокатора не стали устранять, приберегли его для того, чтобы потом снова в игру пустить. Они ведь мастера на всякие такие штуки.

Так от тети Наташи подруги и узнали о том, чем занимались их мужья. А следующий виток их размышлениям дал Никита. Подруги буквально бомбардировали его целый день своими звонками, а вечером и вовсе подкараулили молодого человека перед домом Таракана, который от переживаний слег, и Никита был вынужден ежедневно являться с устным отчетом к старому генералу.

Выйдя в понедельник вечером из дома генерала, Никита вновь увидел подруг и даже застонал:

— Что вам от меня надо? Ну что?

Но девушек не смутило столь откровенное нежелание Никиты общаться с ними. Кира с Лесей, зайдя с левого и правого флангов, взяли Никиту в тиски и не отпускали его до тех пор, пока он не согласился поговорить с ними.

— Хоть что-нибудь скажи нам! — заклинали они его. — Дай ниточку.

— Не могу. Это закрытая информация.

— Мы знаем, что у вас сорвались переговоры по поставке оружия на родину Салима.

У Никиты отвисла челюсть.

— Ничего подобного, — выдавил он из себя. — Что вы придумываете? Кто вам рассказал?

— Не важно. Мы в эти ваши дела соваться не будем, это не для нас. Расскажи хотя бы, что вам удалось узнать по поводу убийства Дины, смерти ее матери и исчезновения ее брата.

Никита и тут попытался увильнуть:

— Этим делом занимается полиция, а не мы.

— Не ври! Вы курируете расследование, можешь нам не говорить.

— Ничего-то от вас не скроешь, — проворчал Никита. — Подозреваю, что вы не успокоитесь, да?

— А ты бы успокоился, окажись ты на нашем месте?

— Нет.

— Вот и мы не можем.

— Ладно, вижу, что вы все равно не отстанете, — вздохнул Никита. — В общем, полиции удалось выйти на след человека, подозреваемого в убийстве Дины. И передайте вашей приятельнице, которая добыла рисунок перстня, что именно она дала полиции толчок к расследованию. Она и еще отпечатки в «Ауди» Салима.

— Ну! Говори! Что за отпечатки? Что за человек?

И Никита начал говорить. По характерному перстню полиции очень быстро удалось выяснить, о каком человеке идет речь. А когда отпечатки этого же человека были обнаружены в белой «Ауди», стала окончательно ясна его причастность к произошедшим преступлениям.

— Это Чистильщик. Он хорошо известен в криминальных кругах как человек, умеющий справляться с любым заданием, выполняющий работу всегда качественно и в срок.

— Но кто он такой? Чистильщик — это ведь кличка?

— Да. У него много имен. Он известен как Сыпунов Виктор Михайлович, Артюхин Сергей Владимирович. К сожалению, каким именем он прикрывается в настоящий момент, мы пока не знаем. Думаю, что и никто его не знает. Слишком осторожный черт наш господин Чистильщик. Но этот перстень является его отличительной приметой. Чистильщик настолько давно носит его, что перстень практически врос в его палец. Теперь, чтобы снять кольцо, нужно его распилить.

— А что значит этот символ?

— Среди людей, которые пользовались его услугами, ходит легенда о том, что этот перстень Чистильщику передал его приемный отец, который был главой общества, призванного бороться с любым перекосом в мировом балансе сил добра и зла. Два раскрытых циркуля как раз и означают это всемирное равновесие, за которым последует процветание всего человечества. Роль Чистильщика сводилась к устранению неугодных этому балансу личностей. Но возможно, это всего лишь красивая сказка. А сам перстень Чистильщик снял с какой-нибудь из своих жертв просто потому, что он ему понравился.

— Но чем этот человек занимается конкретно?

— Чистильщика приглашают, когда хотят, чтобы кто-то замолчал навсегда.

— Другими словами, он — наемный убийца?

— Да. И очень опытный. Он служил в горячих точках, имеет боевые ранения. Но всегда он воевал на стороне наших врагов. Все равно с кем и где, лишь бы против России.

— Почему? За что он так ненавидит нашу страну? Мы же никому не делаем плохо. Живем, занимаемся своими делами, с ними-то управиться, куда уж в дела других соваться.

— У Чистильщика другая точка зрения. Во всех войнах, которые бушуют в мире, он винит именно Россию.

— Но это же глупо! Если случается ссора, то в ней всегда участвуют две стороны.

— Видимо, Чистильщик и ему подобные считают, что мы не должны ни с кем ссориться, а должны просто склонить головы и признать очевидное превосходство наших оппонентов.

— Да, вот тогда мы были бы для них хорошими, — согласилась Кира.

— Ну, а раз мы ерепенимся, сопротивляемся, значит, надо нас давить. Как это происходит во многих странах мира, демократия насаждается исключительно силовыми методами. Нет уж, вас заставят быть хорошими...

Никита замолчал, видимо выдохся, но подруги не дали увести себя в дебри демагогии. Кире с Лесей нужно выручать своих мужчин. Причем срочно.

— И что же Чистильщик?

— Его ищут, — ответил Никита. — К сожалению, выполнив свою работу и получив за нее вознаграждение, этот тип на какое-то время исчезает. Никто не знает, где находится его нора, в которой он отсиживается, но где-то она есть.

— И... и сколько он будет отсиживаться?

— Обычно после завершения работы он отдыхает не меньше месяца. Иногда больше. Вплоть до полугода.

Кира покачала головой:

— Месяц — это слишком долго!

— Не говоря уж про полгода!

— Пленники столько не протянут!

— Мы делаем все, что в наших силах, — развел руками Никита.

— А как этот Чистильщик хотя бы выглядит? У вас есть его фотография?

— Фотография есть.

— Покажите его нам!

Было видно, что Никите очень не хочется этого делать. Он принялся бормотать, что фотография у него в другом телефоне, что он не помнит, где она, что лучше он завтра покажет ее подругам, но девушки настаивали. И в конце концов Никита сдался:

— Вот, смотрите!

Конечно, эта фотография оставляла желать лучшего. Она была взята из паспорта, была черно-белой и сделана не слишком удачно. Но в принципе ничего отвратительного в лице этого мужчины не было. Брюнет, славянской внешности, возможно, с примесью украинской или молдавской крови. На фотографии мужчине было сорок пять лет. Широкий лоб, густые брови. Вот только глаза, маленькие и колючие, зло смотрели в объектив фотокамеры, выдавая истинный характер этого человека.

— Ясно, — произнесла Кира, возвращая смартфон Никите. — Расскажи нам еще что-нибудь об этом мужчине. Он женат?

— Насколько мне известно, официальной жены у него нет. Но, конечно, какие-то женщины вокруг него крутятся. Он ведь живой здоровый мужчина, он должен иметь контакт с женщинами.

— Кого-нибудь из них знаете?

— Нет.

— А если честно?

— А если честно, то не скажу. Нечего вам соваться в это дело, я уже сказал.

— Но у этого Сыпунова должен же быть дом, квартира, что угодно!

— Все места, в которых возможно появление Сыпунова, нами уже проверены. Сыпунова там нет.

— Он может там появиться в любой момент!

— Мы оставили наблюдателей. Но надежды на то, что им удастся перехватить Чистильщика, нет. Говорю вам, он залег на дно и раньше чем через месяц не всплывет.

Никита сделал это заявление столь уверенным тоном, что подруги совсем приуныли. Однако вскоре выяснилось, что Никита ошибался.

Тело Чистильщика было обнаружено уже на следующий день. Нашли его по запаху. Теплые осенние деньки и жаркое солнышко, почти постоянно светившее в выходящие на юг и юго-запад окна квартиры, ускорили процесс разложения мертвых тканей. И вскоре проживавшие в соседней квартире четыре маленькие собачки отреагировали на запах и подняли громкий лай.

Пекинес, йорк, карликовый пудель и такса, жившие всегда дружно и не вызывавшие особых проблем, словно с цепи сорвались. Лаяли, прыгали на стену, а потом стали выть. Вначале женщина пыталась урезонить своих псов, несколько раз прикрикнула на них, одну, самую громкую, собачку даже шлепнула свернутой в трубочку газетой, но песик и не подумал замолчать. Он лишь обиженно покосился на свою хозяйку, а затем принялся лаять и завывать с еще большим вызовом.

— Что с вами? — растерянно пробормотала женщина. — Что вы лаете, словно безумные?

Она была немного знакома с владелицей квартиры, которая теперь вызывала в ее собаках столь сильную тревогу. А потому, поколебавшись еще пару часиков, надеясь, что собаки успокоятся, все же решила, что дольше ждать нельзя. И лучше уж она сама позвонит своей знакомой и, возможно, потревожит ту напрасно, чем будет терпеть концерт своих псов и подвергаться нападкам соседей.

А те и так уже стучали в стены и в потолок, и с улицы кричали, и в дверь звонили. Сначала ласково:

— Алла Аркадьевна, что у вас с собачками?

Потом уже более строго:

— Уймите ваших пустобрехов!

И наконец с откровенной враждебностью:

— Старая кошелка, если псы не заткнутся, я их всех передушу, и тебя вместе с ними!

Огорченная Алла Аркадьевна, которая всегда считала своих песиков самыми уравновешенными, спокойными и дружелюбными созданиями, наперебой приглашала соседей взглянуть на поведение собак.

— Заходите, посмотрите. Я сама не понимаю, что они так завелись.

Но охотников смотреть на четырех собак, сидящих у стены соседской квартиры и яростно на нее тявкающих, находилось мало. А те, кто заходил, все равно говорили, что собаки должны вести себя тихо, что такой дружный собачий квартет уже всем опротивел и потому хозяйка псов должна принять меры для устранения шума.

Алла Аркадьевна, будучи деликатнейшим созданием, сама никого бы не решилась побеспокоить лишний раз. Но под давлением общественности она была вынуждена позвонить соседке, которую не видела уже много месяцев.

— Катенька, душенька, — лепетала Алла Аркадьевна. — Умоляю, простите за беспокойство. Но у вас в
квартире все в порядке? Дело в том, что мои собачки
как-то странно реагируют на вашу квартиру. Да и запах
идет... какой-то неприятный. Словно протухло у вас там
что-то. Может такое быть, а?

Алла Аркадьевна ожидала, что Катенька посовету-
ет ей лечиться или чего-нибудь в этом роде. Катенька особой любезностью никогда не отличалась. Да и
Катенькой ее называла лишь одна Алла Аркадьевна
по доброте душевной. На самом деле Катенька была
толстущей грубой бабой лет пятидесяти, дважды суди-
мой, но нынче прочно вставшей на путь исправления и
проживающей вместе со своим гражданским супругом
в другом месте.

Вопреки ожиданиям, Катенька примчалась очень
быстро. Краснея, она объяснила Алле Аркадьевне:

— Жилец у меня там. Может, он чего учудил?

Алла Аркадьевна, которая никакого жильца и в глаза
не видела, очень удивилась, услышав, что у нее, оказывается, рядом в квартире кто-то жил.

— А я никого не слышала!

— Ну, это уж не мое дело, — отозвалась Катенька. — Я ему квартиру, он мне деньги. А уж будет ли он в
квартире жить или только временами бывать — это его
личное дело.

— Но странно это как-то, — продолжала удивляться
Алла Аркадьевна. — И не видела я его никогда.

И тут Катенька неожиданно покраснела и прошипела:

— Блин, что вы прицепились? Алла Аркадьевна, вы
как заноза, честное слово. Ну любовник он мой бывший! Ясно вам? Приехал из другого города, поселить-

ся ему надо было где-то на пару ночей, ну а как уж он там дальше, с кем или где, я над ним не властна. Сама нынче замужем и мужа своего люблю. Так... По старой памяти пустила, потому что чувства у меня к нему были сильные. Но что было, то быльем поросло. Нынче мы с ним старые знакомые, не более того.

— Уж не знаю, — вздохнула Алла Аркадьевна, — кем уж он вам приходится, жильцом или любовником, а только допек он чем-то моих собак. Запах вроде какой-то идет. Я-то не чую, а собаки беспокоятся. Вдоль стены вашей квартиры бегают, лают на нее. Никакого от них покою нет ни мне, ни другим жильцам.

— Ладно, сейчас посмотрим, что там у него.

Катенька открыла своими ключами дверь, и они с Аллой Аркадьевной вошли внутрь. Теперь неприятный запах почувствовали и женщины.

— Да, попахивает.

— Ну, пошли. Вроде бы из кухни пахнет?

Женщины двинулись на кухню, где испуганно ахнули. Прямо посредине кухни лежал средних лет мужчина. Раскинув руки и ноги, он таращился остановившимся взглядом в потолок. Мужчина был в теле, он лежал на спине, и сразу же бросалось в глаза черное месиво, которое было на месте его живота.

— Это что же у него там такое? — пробормотала Алла Аркадьевна, у которой от волнения запотели очки.

Она сняла их, чтобы протереть, и в это время стоящая рядом с ней Катенька охнула.

— Мамочки, — прошептала Катенька. — Да это же...

Договорить она не смогла. А Алла Аркадьевна, надев снова очки, лишь судорожно сглотнула, верней, попыталась это сделать. Но у нее во рту все пересохло, когда Алла Аркадьевна поняла, что лежащий перед ними мужчина мертв. И не просто мертв, а жестоко убит. Из живота неизвестного мертвого мужчины вывалились его внутренности, которые успели уже почернеть.

— Господи, кровищи-то сколько, — лепетала Катенька. — Как предвидела, заставила мастеров на кухне полы с гидроизоляцией сделать. И не протекло ведь ничего!

Это были ее последние слова. После чего глаза у Катеньки закатились, ноги подогнулись, и она шмякнулась в обморок.

Глава 11

Алла Аркадьевна оказалась покрепче. Она хоть и чувствовала дурноту, но быстро пришла в себя, вышла в коридор и вдохнула воздуха. Отдышавшись и попив водички, Алла Аркадьевна вспомнила про Катеньку и направилась к ней. Она надеялась, что приведет соседку в чувство простой холодной водой. Употреблять нашатырный спирт в данной ситуации казалось Алле Аркадьевне малоэффективным методом. Катенька и так уже принюхалась к вонище в квартире, аммиак может ее и не пронять.

И брызгая в лицо соседке водой, Алла Аркадьевна взывала:

— Катенька! Катя! Очнитесь!

Веки у женщины затрепетали, она открыла глаза и уставилась на Аллу Аркадьевну безумным взглядом.

— Он еще тут?

— Тише, милая, выпейте водички. Знаете его, да?

Катенька закивала головой, губы у нее тряслись, и Алла Аркадьевна с трудом напоила Катеньку водой.

— Любовник ваш?

— Ага! — снова кивнула Катя, которой с каждым глотком становилось все лучше. — Бывший! А чего это он тут разлегся?

— Убили его.

— Убили!

Глаза у Катеньки расширились до неимоверных размеров. И Алла Аркадьевна почувствовала раздражение. Ну нельзя же быть такой дурой, в самом-то деле. Ясно, что кишки у мужика наружу не от хорошей жизни полезли. И орудие преступления тут же валяется. Вон оно.

Алла Аркадьевна с содроганием взглянула на огромный окровавленный нож, валяющийся рядом с мужчиной. Видимо, им и был нанесен ужасный глубокий крестообразный разрез, буквально вспоровший брюхо мужчины. И еще на руке у пострадавшего мужчины не было безымянного пальца. Это было сделано кем-то очень жестоким, беспощадным и... сильным. Сам погибший был человеком крепкого телосложения, значит, и его убийца должен был обладать недюжинной силой, чтобы справиться со своей жертвой.

Но все же странно. Почему не было шума? Ведь когда убивают, должна быть хоть какая-то борьба! А между тем Алла Аркадьевна не слышала никаких криков! Как же такое могло произойти?

— Или же он сам себе живот пропорол?

Алла Аркадьевна обвела взглядом пространство вокруг себя, чтобы лучше разобраться в том, что могло тут произойти.

Она быстро поняла, что воздух в кухне был таким спертым и тяжелым еще и от ведра, полного мусора, в котором на самом верху лежали внутренности крупной рыбы. Сама рыба, аккуратно присыпанная мукой, видимо, еще недавно лежала на тарелке, но теперь ее осколки валялись по всему полу, а выпотрошенная рыбья тушка лежала у мусорного ведра и... и тоже нестерпимо воняла.

— Кошмар, — заключила Алла Аркадьевна. — Настоящий кошмар!

Она так живо представила себе, как мужчина собирался жарить рыбу. Этот человек почистил тушку, присыпал ее мукой, достал сковородку и растительное масло, и тут его убили!

— Нет, на самоубийство никак не тянет, — решила она. — Человек, который собирался поджарить себе рыбки, не станет так кромсать себе живот ножом. Разве что в припадке безумия.

— Да баба его убила, — пробормотала Катенька. — Он жаловался, что с шизанутой одной связался, дескать, настоящая оторва, ревнует его ко всем подряд.

— Ревнует, и что?

— Убить грозится себя или его. С ножом кидается.

— С ножом...

Что ж, если мужчина допек свою женщину, она могла и пырнуть его. Удовольствие на любителя, но ведь и девица, как говорит Катенька, была сумасшедшей.

У Аллы Аркадьевны приятельница работала в психиатрической больнице для особо опасных больных, так она рассказывала такие жуткие вещи, которые вытворяли страдающие душевными расстройствами люди, что оставалось только поражаться, как эта женщина умудрилась сохранить здравый рассудок.

Но тут опять же вставал вопрос: как Алла Аркадьевна не услышала никакого шума за стенкой? Ведь если любовница схватилась за нож, наверняка это произошло после громкой ссоры.

Размышляя, как же такое могло произойти, Алла Аркадьевна медленно повела Катеньку к выходу из квартиры.

— Нужно вызвать полицию.

И когда Катенька попыталась запротестовать, Алла Аркадьевна строго произнесла:

— Надо, Катюша, надо!

Прибывшая полиция моментально узнала человека, объявленного в розыск.

— Да это же господин Сыпунов! Он же Чистильщик!

— А где же его перстень?

— Нету перстня. Тю-тю! Вместе с пальцем улетучился.

У полиции очень быстро возникло множество вопросов к Катеньке. Та краснела, бледнела и лепетала что-то о невероятной страсти к этому человеку, которая даже спустя много лет после их романа окончательно не угасла.

— Так, может, вы его и убили? Приревновали или еще чего. Говорите, вы убили?

— Я? — ужаснулась Катенька. — Да что вы! Я же его любила. Говорю, у него какая-то новая баба была — истеричка!

Но полиция не очень-то поверила Катеньке, и следователь долго оценивающе оглядывал ее, словно пытаясь на глазок определить, способна была Катенька на подобное зверское убийство или все-таки кишка у нее тонка.

По факту убийства гражданина Сыпунова у полиции был ответ почти на каждый возникающий вопрос. Полиция объяснила Алле Аркадьевне, что ей повезло, ее, вероятно, не было дома в момент убийства. Потому она и не слышала никакого шума.

— Но я этого человека до сего дня вообще никогда не видела!

— Сыпунов сидел тихо, лишний раз ему высовываться было не резон. Он собирался переждать, когда шумиха с его поисками поутихнет, чтобы спокойно покинуть наш город.

В том, что шума убийства соседка не слышала, не было ничего странного. Когда эксперты определили приблизительное время смерти мужчины, Алла Аркадьевна вспомнила: в ту субботу она была на юбилее у приятельницы. Вернулась домой уже поздно, машинально отметила, что собаки ведут себя неспокойно, но приписала это собственному длительному отсутствию.

— Вот в то время, пока вы были в гостях, в соседней с вами квартире убили человека. Поздравляю, вы провели это время куда приятнее, чем покойник.

— Ой!

— Конечно, убийство — это всегда отвратительно и чудовищно. Но, думаю, вас должно утешить то, что убили очень опасного человека — матерого преступника, который разыскивался нами уже много лет за совершение особо тяжких преступлений. Так что в данном случае можно сказать, что убийца сделал доброе дело. Правда, вряд ли он действовал в интересах общества, скорее всего, у него был свой собственный мотив...

И все же, услышав, что убитый и сам был чудовищем, Алла Аркадьевна успокоилась быстро. И дальнейшие показания давала уже без малейшего волнения — ровным и спокойным голосом.

Благодаря ее показаниям, а также работе экспертов выяснили примерную картину убийства. Мужчина был убит вечером того же дня, что и Дина. Это он заехал за ней на белой «Ауди», и по всей видимости он же убил ее и бросил в лесу. Об этом свидетельствовали частицы ДНК Дины, найденные на одежде и коже Чистильщика.

Между этими двумя смертями был совсем малый промежуток времени — буквально часа два-три. Вот только труп Дины нашли в тот же день, а труп Чистильщика пролежал в этой квартире значительно более долгое время. И мог бы пролежать еще, если бы не собачья стая, поднявшая тревогу.

Когда подруги и Анжела узнали о случившемся, они пришли в крайнее недоумение.

— Выходит, Чистильщика и самого кто-то заказал?

— Скорее всего, от него избавились как от нежелательного свидетеля. Он выполнил свою работу чисто, разделался с Диной, но заказчик решил, что надо понадежнее заткнуть рот Чистильщику. И уже по собственную душу Чистильщика был отправлен убийца.

— Но я все равно не понимаю! — воскликнула Анжела.

— Чего?

— Чистильщик и есть тот тип, кто прикатил за Диной, увез ее и убил, а вскоре устранили его самого, так?

— Так.

— Чистильщика убили в тот же день, когда он сам убил Дину?

— Разница между этими двумя убийствами два-три часа.

— Но позвольте... Кого же тогда собирался шантажировать Гермес? Ведь его эта идея посетила только на следующее утро.

— Да... загадка.

— К тому времени, как Гермеса посетила мысль подзаработать на смерти сестры, Чистильщик был уже мертв.

— И тогда Чистильщик не может быть причастен ни к исчезновению Гермеса, ни к смерти Людмилы Петровны.

— Странно... Кто же тогда их?..

Ответа на этот вопрос не было.

Ближе к вечеру полицейским наконец удалось установить адрес дома, в котором побывала Дина. Вначале дело у них с вычислением дома шло туго. Обрывок обоев с цифрами ничего не дал. И лишь после того, как была запущена программа поиска интерьеров с фотографий в Интернете, что-то начало проясняться.

Полицейские также опросили всех друзей, коллег и просто знакомых Салима, пытаясь найти среди них тех, кто видел эти интерьеры. Но в итоге Никите и его команде удалось узнать, что дом принадлежит супружеской чете по фамилии Филимоновы, которые нынче обитают в теплых странах, а почти всю имеющуюся в России недвижимость сдают через одно крупное и уважаемое агентство.

Именно на сайте этого агентства и были одно время выставлены фотографии, которые оказались очень похожими на те, что нашли у Дины на ее страничке в сети. Правда, ракурс, с которых были сделаны фотографии, был разным. Полного сходства не было. И только благодаря Никите, который выделял деталь за деталью, добиваясь все больших и больших совпадений, работа была сделана и место нахождения дома было определено.

Этот загородный дом, снаружи напоминающий замок, а внутри богато отделанный, сдали некоему Копытову Андрею Сергеевичу. И как же в полиции удивились, когда увидели фотографию из паспорта этого Копытова.

— Да это же наш старый друг, Сыпунов, он же Чистильщик! Ага! Вот и еще одна его личина! Теперь он Копытов.

— Но что же это получается? Выходит, Чистильщик арендовал дом на свое имя. Но зачем ему это понадобилось?

— Не знаю. Обычно он к таким сложностям не прибегал, — покачал головой майор полиции. — Это что-то новенькое в его работе. Раньше-то он всегда прятался у своих женщин, на хатах, заранее им облюбованных. Но чтобы снять целый дом... Да еще такой дорогой и богато обставленный... Зачем ему это?

Тем не менее Никита с коллегами при поддержке сил полиции собирались нанести визит в этот дом. Все возлагали огромные надежды на штурм вражеской крепости.

— Дом располагается в отдалении от человеческого жилья. Есть лишь небольшая деревенька — Овраги, но до нее почти пять километров. А в непосредственной близости от дома только лес. Кричи не кричи — никто не услышит.

— Возможно, все пленники находятся в доме!

Подруги, узнав о том, что найден дом, в котором довелось побывать Дине, а также, вероятно, Салиму и их мужчинам, пришли в неописуемое волнение.

— Они найдутся!

— Они там!

— И Лисица!

— И Эдик!

— И они живы!

— И вернутся к нам!

Но увы, поехать с полицией и Никитой подругам не позволили.

— Сидите дома и ждите новостей.

И как вскоре подругам предстояло узнать, в действительности дела обстояли далеко не так радужно, как им представлялось.

Правда, проникнуть в дом полиции оказалось совсем нетрудно. Никакого штурма не потребовалось. Никто в доме не оказал силовикам ни малейшего сопротивления по одной простой причине: он был пуст. Во всем большом доме не оказалось ни единой живой души.

Обыскав сверху донизу все три этажа, полицейские были вынуждены признать, что они прибыли слишком поздно.

— Дом оставлен его обитателями. В нем никого нет.

— Причем удирали они в большой спешке.

Во всех комнатах царил невероятный беспорядок. Интересно, кто убирался тут раньше? И кто будет делать это теперь? Эта простая мысль натолкнула майора на идею:

— Необходимо выяснить, кто работал в этом доме. Где вся прислуга?

Он уже успел обойти дом и собственными глазами убедиться в том, что фотографии со странички Дины в сети один в один соответствуют интерьерам дома. И спальня, и гостиная, и даже вид из окна — все полностью совпадало с теми фотографиями. Он распорядился, чтобы нашли людей, которые наводили в этом доме порядок.

И как раз в этот момент его отвлек возглас:

— Товарищ майор, выйдите, пожалуйста, на улицу.

Голос принадлежал Никите. И звучал он так напряженно, что майор ни на миг не усомнился, что ему предстоит услышать новости, и это плохие новости.

Предчувствие не обмануло майора. Он спустился вниз и подошел к Никите, который стоял перед ровным прямоугольником слегка пожухлой травы. Несмотря на то что уже была осень, трава всюду еще сохраняла свою летнюю свежесть. Но в этом месте дерн несколько отличался от травяного ковра в остальном саду.

— Думаю, тут что-то есть, — произнес майор.

Никита кивнул головой:

— Будем копать.

Призванные для этой цели сотрудники раздобыли лопаты и приступили к делу. Размеренные взмахи лопат, и комья земли летят в стороны. Еще, еще, еще... Полицейским пришлось углубиться на полметра, и вот раздался крик:

— Тут чья-то нога и ботинок!

— Копайте дальше!

Сотрудники подчинились приказу. Только теперь они старались работать лопатами осторожнее, чтобы не повредить тела, которое, как все понимали, они нашли. Спустя четверть часа тело было извлечено из земли, и все сгрудились вокруг него. Тело было густо облеплено влажной землей и глиной, так что понять, чье оно, было непросто. Лишь после того, как от грязи очистили лицо с закрытыми глазами и судорожно сжатыми челюстями, люди ахнули, узнавая знакомые черты.

— Это же Салим, — раздался голос кого-то из коллег Никиты. — Это он!

— Проклятие! Они его все-таки убили!

— Застрелен. Полагаю, что это тоже работа Чистильщика. Судя по следам крови в «Ауди», первым он застрелил Салима. А потом уже нашел и убил девушку, которую Салим привозил в этот дом.

— Но где наши ребята? Где Гвоздика и Сверчок? Где Эдик и Лисица?

Никита поднял голову и взглянул на людей.

— Ищите еще! — скомандовал он. — Тут могут быть и другие тела!

Сотрудники рассыпались по саду, словно муравьи. Они тыкали в землю металлическими штырями — щупами, проверяя, нет ли где участков с мягкой, недавно вскопанной, землей. Были также привлечены служебно-разыскные собаки. Но больше тел найдено не было.

— Ладно, — произнес Никита. — Если пострадал только один Салим — это еще можно пережить.

Конечно, совсем не так отреагировала жена Салима — Анна. Когда женщине сообщили о смерти ее мужа, она долго не хотела верить в то, что случилось.

Потом потрясенная женщина позвонила Кире и Лесе.

— Не хочу вас пугать... — произнесла она таким голосом, что Кира с Лесей сразу похолодели. — Салим погиб! Мне только что звонили, нашли его тело.

— О! Дорогая! Как нам жаль!

— Звоню вам, чтобы сказать, если вы уверены, что ваши мужья были с Салимом, то... возможно... Возможно, что и они мертвы.

Подруги слушали ее. Они понимали, что Анна говорит правду, но как же чудовищно звучала она из ее уст.

— Господи, хоть бы они остались живы! — вырвалось у Киры.

— Я тоже молилась, чтобы муж остался живым, — тут же откликнулась Анна. — Но нет! Мои мольбы не были услышаны!

Но подруги не могли с этим смириться.

Все эти дни подруги, занимаясь расследованием, воссылали Николаю Угоднику робкие просьбы о милосердии и защите их мужей.

И до сего дня в них жила уверенность, что молитвами можно уберечь любимых мужей от самого худшего. Однако сейчас горькие слова Анны все же пробили брешь в этой уверенности.

— Этого просто не могло быть! — твердила им Анна. — Только не с нами. Салим был такой осторожный! Он обещал мне, что с ним никогда ничего плохого не случится!

И как же напоминали клятвы Салима своей жене клятвы их собственных пропавших мужей! Эдик и Лисица точно так же твердили своим женам, что с ними все будет в порядке.

— Он мне клялся, клялся, что вернется живым! — плакала Анна, усугубляя тем самым страдания подруг. — А теперь он мертв! И я даже не могу повидаться с ним! Они сказали, что забрали тело в морг и что, пока эксперт не закончит с ним работу, они мне его не отдадут! Боже, как это жестоко! Почему они так делают?

— Наверное, сейчас важней всего найти и наказать преступника. Того, кто все это организовал. Для этого нужно работать очень быстро.

— Ах, что мне какой-то преступник! Что мне до него? Если его поймают, разве это вернет мне моего Салима?

Подругам было нечего ей сказать, нечем ее утешить. Но если муж Анны был мертв, то как они могли надеяться на то, что их мужья живы? Неужели и для них тоже все кончено?

И положив трубку, подруги избегали смотреть друг на друга.

— Возможно, они мертвы.

— А вдруг нет?

— Анна хотя бы знает точно, а мы...

И теперь девушки с горечью думали о том, что, возможно, они когда-нибудь еще будут завидовать Анне. По крайней мере, для нее пытка неизвестностью уже закончилась. Она своего мужа по истечении положенного времени сможет достойно похоронить и оплакать. А они... А им что делать? Возможно, их мужья тоже мертвы, но подруги, вероятно, никогда не узнают ни времени, ни обстоятельств их смерти, ни даже места последнего упокоения любимых!

— Я этого не выдержу, — пробормотала Леся, когда они с Кирой собирались, чтобы идти к тете Наташе, забрать домой Славку, который в эти дни просто поселился в доме у генерала и его доброй жены. — Я сойду с ума и умру!

— Нет! — испугалась Кира. — Подумай обо мне! Если ты свихнешься или умрешь, что я буду делать? Я тоже умру. Одной уж мне точно не выстоять.

И так как Леся молчала, она взмолилась еще громче:

— Леська, пожалуйста! Давай возьмем себя в руки и подумаем, где искать наших мужчин.

— Все бесполезно, — твердила Леся. — Все кончено! Салим мертв. Чистильщик мертв. Дина мертва. Все, кто был в той проклятой белой «Ауди», мертвы. Нашим мужьям не уцелеть!

— Леся, держись! Пока еще ничего не ясно.

— Чего тут неясного? Все уже ясно! Кира, прошу, пойди сегодня к тете Наташе сама. Я не могу сейчас никого видеть. Я должна побыть одна.

Леся побрела к себе в комнату, она отказалась куда-либо выходить, сказав, что теперь будет сидеть в четырех стенах и ждать вестей.

— Дурные или хорошие, они все равно меня найдут. Оставь меня, Кира, я просто хочу побыть одна.

Кире тоже хотелось погоревать в одиночестве. Она с удовольствием забилась бы под одеяло, приняла порядочную дозу снотворного и заснула бы до лучших времен. Но не могла позволить себе расслабиться. Ее ждал маленький Славка, которого его мать так часто оставляла одного в последнее время.

Кира вышла на улицу и невольно подняла голову. Небо над ней было такое огромное, звездное и чистое, что у Киры захватило дух. Еще с детских лет она помнила это чуть холодноватое замирание сердца, когда смотрела на звезды... Величие космоса поражало Киру тогда, поразило оно ее и теперь.

И неожиданно у нее вырвалось:

— Господи, пусть будет он жив! Сделай так, чтобы он был жив! Или хотя бы Эдик! Пусть хоть у них с Лесей все будет хорошо. Но лучше, чтобы они вернулись назад оба. Господи, они нам нужны! Пожалуйста! Если ты меня слышишь, сделай чудо, верни мне моего мужа живым!

Кира отступила на шаг и прислонилась к шершавому стволу яблони. Так ей было легче смотреть наверх, на звезды. Она простояла так довольно долго и вдруг ощутила, как от дерева пошло по ее спине тепло. И скоро на душе у Киры стало чуть легче. Мысли просветлели.

В конце концов, с чего она решила, что Эдик с Лисицей погибли? Этому нет никаких доказательств. В той проклятой «Ауди», которая увезла их мужчин, не нашлось никаких следов насилия по отношению к Эдику или Лисице. Там кровь Дины и Салима, и они мертвы. А крови Эдика и Лисицы не было, значит, они живы. И еще ее Лисица — он очень верткий, недаром же его так прозвали. Он и сам не пропадет, и Эдика выручит. Он же его друг. А если уж Эдика не спасет, то сам точно вернется к ней!

Улыбнувшись, Кира неожиданно поняла, что стоит она у яблони, которую они с Лисицей посадили в их саду самой первой.

— Как же давно это было!

Тогда они с Лисицей еще не думали, что будут вместе. Кира позвала Лисицу, чтобы он выкопал яму под яблоню, а потом посадил туда уже приличных размеров пятилетнее деревце. Кира нарочно купила саженец со сформировавшейся корневой системой, находящейся в специальном контейнере, дабы исключить малейшую осыпь с корней и улучшить процесс приживаемости растения.

Но когда деревце прибыло из питомника, оно оказалось куда тяжелей, чем ожидала Кира. И для его посадки явно требовался мужчина. Как Лисица тогда пыхтел с этим деревом! Кире самой ни за что бы не справиться. Тогда она впервые и подумала о том, что в хозяйстве, как ни крути, мужчина нужен. С ним живется куда легче и во многих отношениях проще. С тех пор прошло много времени, и на своего мужа Кира вполне могла положиться.

А в последние годы Лисице пришлось освоить и добывание пропитания. Нет, в магазин Кира ездила сама, но вот материальная сторона вопроса отныне почти полностью легла на плечи одного Лисицы. Именно он теперь зарабатывал у них в семье деньги. Занятая Славкой Кира не могла уделять много времени работе. Да и бизнес Киры с Лесей сейчас претерпевал не самые лучшие времена, чтобы радовать успехами или хотя бы стабильностью.

И так как Леся одна не справлялась, дела у них в «Орионе» были не ахти. Да, конечно, Леся старалась. Делала все что могла, чтобы спасти их туристический бизнес от окончательного крушения. И конечно, нынешняя нервотрепка и поиски их мужей лишь усугубляли положение.

Лесе нужно было бы сосредоточиться на работе, чтобы разрабатывать новые контакты, устанавливать новые связи. Все большую популярность приобретали российские курорты: Крым, Сочи. Люди ехали на Байкал, ехали на Алтай и Дальний Восток, с удивлением и радостью обнаруживая в собственной стране такие красоты, о существовании которых они и не подозревали. Но все это надо было прорабатывать, а вместо этого Леська носилась вместе с Кирой в поисках своего мужа и мужа своей подруги.

И все же Кира была уверена, что худые времена не вечны, им тоже приходит конец.

— Мужчины вернутся, бизнес наладится, все будет хорошо! Бывают времена темные, бывают светлые. Надо только держаться, работать...

И отлепившись от ствола, Кира побрела к дому их дорогого Таракана. Впрочем, теперь ей было гораздо легче идти. Душу снова наполнила уверенность, что все будет хорошо.

Такие внезапные переходы от безудержного отчаяния к столь же необоснованной уверенности, что мужчины живы, стали для Киры за последние дни уже чемто привычным. Также она заметила, как постепенно, раз от раза, притупляется ее чувствительность. Ко всему в этой жизни привыкаешь, даже такая адская пытка становится обыденной. И все же сейчас Кира переживала эйфорию, она надеялась, что ей удастся сохранить это настроение как можно дольше.

— Нужно думать о позитивном! — твердила она самой себе. — Надо искать во всем светлую сторону.

С этим настроем Кира и шагнула в дом своих друзей.

Дома была одна тетя Наташа. Ее генерал отправился куда-то по делам. Кира не стала еще больше травмировать старушку своими новостями. Она просто сказала, что хочет забрать Славку. Но тетя Наташа опередила ее:

— Похоже, случилось что-то, — прошептала она Кире. — Мой-то очень озабоченный уехал. Похоже, у нас опять плохи дела.

Кира уже знала, что это за дела. Они и впрямь были неважнецкие. Но обсуждать их, чтобы еще больше растравить свою душевную рану, ей не хотелось, а потому Кира сразу же перевела разговор на другую тему.

— Тетя Наташа, а где Славка-то? Почему его не слышно?

— В комнате, — тут же откликнулась тетя Наташа, всегда готовая говорить про Славку, которого любила, как родного внука, да и возилась с ним побольше, чем иные бабушки. — Они с Вероничкой играют.

Вероничкой звали соседскую девочку — хохотушку и болтушку лет пяти-шести. Она утратила уже изрядное количество молочных зубов, постоянные у нее еще не выросли, и Вероничка сверкала самой щербатой улыбкой в поселке. Кира заглянула в комнату, где играли дети, и увидела сидящего на ковре Славку, рядом с ним на низеньком стульчике пристроилась Вероничка, которая тоном опытной учительницы объясняла малышу:

— А сейчас смотри внимательно, скоро будут зомби.

С этими словами Вероничка тыкала пальчиком в экран телевизора, где показывали «Пиратов Карибского моря».

— А во втором фильме будет участвовать Министр водорослей.

Кира поняла, что это она про отвратительного, покрытого присосками и щупальцами, капитана «Летучего Голландца».

— Затем — Лохнесское чудовище, — продолжала Вероничка, явно говоря про Кракена. — Понял?

Славка пялился в экран с видимым интересом. Он отрывал взгляд от телевизора только для того, чтобы вопросительно посмотреть на свою приятельницу. Но стоило ей снова ткнуть пальцем в сторону экрана, как Славка послушно поворачивал свою голову туда же.

— А еще говорят, что маленькие дети не реагируют ни на что, кроме рекламы.

Сейчас в телевизоре проворный Джек Воробей в очередной раз пытался сбежать из темницы, никакой рекламы на экране не было и в помине, а ребенок сидел, не отрывая взгляда. Вероятно, пример старшей приятельницы, которой нравилась эта пиратская сага, так подействовал на мальчика.

Когда Кира попыталась забрать Славку, он расплакался, протягивая руки к Вероничке.

— Оставь его, — попросила тетя Наташа, неслышно появившаяся за спиной Киры. — Они хорошо играют, подружились. Я уже договорилась, чтобы Вероничку родители оставили у меня на ночь.

— Я даже не знаю, — растерялась Кира. — Славка и так все время у вас. Он вам не слишком надоедает?

— Я только рада! Думаешь, я не переживаю? Мой генерал меня не больно-то в свои дела посвящает, только я ведь не глухая, слышу, что проблемы у нас. Ну и переживаю. А дети меня хоть немного, да отвлекают.

Кира сделала еще одну попытку взять Славку на руки. Но тот, хотя и обнимал маму очень нежно, когда Кира направилась с ним к выходу, снова развернулся в сторону Веронички и разревелся.

— Видишь, он с ней побыть хочет. Пусти его.

Кира спустила ребенка с рук, и тот шустро пополз на четвереньках назад к своей приятельнице, где и устроился на облюбованном месте у ее колен.

— Вероничка — племянница Никиты, — внезапно произнесла тетя Наташа, стоя за спиной Киры.

Кира удивилась:

— Серьезно? Я не знала, что у него в поселке есть родственники.

— А как, по-твоему, Никита у твоего мужа под началом оказался?

— Ну, не знаю. Мы с Лисицей на эту тему никогда не говорили. А как?

— Мой генерал твоему мужу этого Никиту посоветовал. Никита — племянник старого друга генерала. Вот он его твоему мужу и сосватал.

Кире почудилось в голосе тети Наташи что-то похожее на неодобрение. И Кира удивилась еще больше. Обычно тетя Наташа избегала осуждать кого-либо, а своего супруга и подавно. А уж вслух и прилюдно... пусть тут только Кира и двое детей, но все равно — свидетели.

— Вы чем-то недовольны, тетя Наташа?

Кира не ожидала ответа. Но тетя Наташа, казалось, только и ждала, чтобы выпалить:

— Не нравится он мне!

— Кто?

— Никита этот!

— Почему? Все его, наоборот, хвалят. Говорят, что дельный и толковый.

— Дельный... толковый... А вот не лежит у меня к нему сердце, и все тут.

Вероничка внезапно повернула в их сторону хорошенькую кудрявую головку и спросила:

— Вы про моего дядю Никиту говорите?

— Смотри телевизор, деточка, — посоветовала ей слегка растерявшаяся тетя Наташа. — Там кино показывают.

Но Вероничка не дала себя обмануть:

— Там реклама сейчас. А почему вам дядя Никита не нравится? Он хороший. Он мне каждый раз игрушки дарит. Мама на него уже ругается, что не надо деньги тратить на ерунду, а он все равно дарит. И я его люблю! Не надо его обижать.

— Да-да, никто твоего драгоценного дядю и не думает обижать. Небось, не только игрушки дарит. Он еще и гулять тебя часто с собой берет?

— Берет. Мы с ним и на пони ездили кататься. И на аттракционах были. И на коньках недавно катались.

— Это где же вы летом каток нашли? Летом льда нету!

— Странная вы, баба Наташа. Разве же в наше время лед — это проблема? — рассудительно возразила ей Вероника. — Заморозили!

— Так это под крышей каток был? На искусственном льду?

— И очень большой каток получился, на нем все дети катались со своими мамами и с папами.

— А ты с дядей Никитой?

— И мой дядя Никита лучше всех там катался. Он и меня обещал научить. К нему даже другие люди подходили, чтобы похвалить его, как он хорошо катается.

— И что же они ему говорили?

— Я не слышала. Дядя Никита отправил меня одну покататься. А я поехала и упала. Но дядя Никита ничуть не рассердился, а одна тетя дала мне такого смешного пингвина, с ним можно за руку кататься — и не упадешь! Я каталась, пока дядя Никита с теми дядями сидел и разговаривал.

— Где же он сидел?

Вероничка внезапно засуетилась. Она полезла на полку, достала оттуда карандаши, фломастеры и несколько листов бумаги, которые и принялась с нетерпением раскладывать. Девочка так часто бывала в гостях у тети Наташи, что знала, где тут что лежит. И свои кое-какие вещи, рисунки оставляла здесь.

— Сейчас, сейчас, — говорила она. — Одну минуточку. У меня тут... Ага, вот!

И она извлекла лист, на котором были нарисованы какие-то домики, человечки, а над одним прямоуголь-

ником с окошками было написано: «РЕСРАН». Потом
зачеркнуто и чуть ниже написано другое слово «РИ-
ТОРАН».

— Это что же у тебя тут?

— Ресторан. Вы что, не видите, баба Наташа? Ресторан — это где мой дядя Никита со своими друзьями
сидел.

Киру стала утомлять болтовня девочки. Тяжелая сон-
ливость навалилась на нее.

И повернувшись к тете Наташе, она сказала:

— Можно я пойду?

— Иди, деточка, — кивнула тетя Наташа, не сводя
глаз с Веронички. — Иди, там за тобой закроют.

По дороге домой Кира думала о том, доживет ли она
до тех времен, когда сама станет бабушкой. Будет она
тогда с такой же охотой возиться с малышами, как сейчас возится тетя Наташа с ее Славкой и соседской Вероничкой? А вдруг у нее вовсе не будет внуков? Допустим,
Славка не захочет иметь детей. Некоторые мужчины боятся ответственности. Кира слышала печальные истории о том, что в семьях, где мальчиков воспитывали
только мамы и бабушки, пацаны совершенно распус-
кались.

И тут же под темным осенним небом Кира решила:
если судьбе будет угодно, чтобы Лисица вернулся к ней
целым и невредимым, она первым делом родит от него
еще одного ребенка. А потом еще и еще. Пусть их будет
много. Авось, хотя бы один из ее детей подарит ей внуков, которые согреют своим теплом ее старость.

Дом встретил Киру неприветливо. Леся уже спала
у себя в спальне. Даже не верилось, что еще несколько дней назад тут было оживленно и весело. Казалось,
ничто не предвещало трагедии. Но вот пропали муж-

чины, а вместе с ними из этого дома пропала и радость жизни.

И прислонившись к косяку двери, Кира пробормотала:

— Подумать только, а ведь раньше мы с Леськой как-то жили одни. И ничего. И я даже думала, что неплохо живу. А вот теперь Лисицы нет рядом всего несколько дней и...

Кира не договорила. Слишком много мыслей вертелось у нее в голове. Разве она могла подумать, что попадет в такую зависимость от своих чувств к мужчине? Она — всегда такая самостоятельная? Она также никогда не думала, что свяжет свою жизнь с этим легкомысленным, несерьезным человеком. А ведь она его жена, и теперь у них есть ребенок! И как такое могло случиться, что вся вселенная Киры заключена в нем? Вот его нет рядом с ней, и все вокруг для Киры погасло.

— Ерунда какая-то, — пробормотала она. — Просто полная ерунда.

Отлепившись от косяка, Кира доплелась до своей спальни. Как же невыносимо тихо в доме! Вроде бы и не поздно, а хочется лишь одного — забраться в постель и отоспаться за все эти безумные дни. Свернуться калачиком и думать о том, что все еще будет хорошо.

Леся уже спала, во всяком случае, когда Кира заглянула в ее комнату, головы подруга с подушки не подняла. Только одна лишь Фатима, верная Лесина наперсница, посмотрела на Киру. Кошка забралась в кровать к своей хозяйке и устроилась рядом с ней. Фатима всегда была очень ласковой кошечкой, а уж в Лесе она и вовсе души не чаяла, если такое вообще можно сказать про кошку.

— Я тоже пошла спать. Спокойной ночи, — пожелала Кира то ли кошке, то ли Лесе.

Ни одна из них не ответила, и Кира вышла, тихонько прикрыв за собой дверь. У себя в спальне она даже не стала раздеваться, а свернулась калачиком поверх покрывала на половинке Лисицы. Ей казалось, что так она становится ближе к мужу. Чтобы не замерзнуть, Кира накрылась запасным одеялом — огромным и пышным, оно было из овечьей шерсти и такое теплое, что под ним можно было согреться даже в самую холодную ночь.

Киру все эти дни потрясывало от холода так, словно вокруг нее была лютая стужа.

— Господи, — вполголоса произнесла она в пространство. — Не знаю, слышишь ли ты меня. Но клянусь тебе, я буду очень-очень хорошей! Я буду добра ко всем людям. Пожалуйста, верни мне мужа, а сыну отца!

И уткнувшись лицом в подушку, все еще хранящую запах Лисицы, она заплакала. Неожиданно что-то мягкое и пушистое коснулось ее руки. Это Фантик пришел к своей хозяйке. По примеру Фатимы он чувствовал, когда хозяйке нужна его поддержка. Кира сначала гладила кота по спинке, а потом подтянула его к себе поближе.

Фантик не возражал. Устроившись под бочком своей хозяйки, старый мурлыка завел свою ворчливую песенку:

— Мурр-мурр! Мырр-мырр!

Кот мурчал словно надежный электрический мотор. Постепенно вибрации его тела передались и Кире. Она начала согреваться, и под мурлыканье Фантика на душе у нее стало поспокойнее. Ей даже казалось, что самое страшное время миновало, скоро у нее в жизни все снова наладится. Так с этим чувством она и заснула. И сны, как ни странно, ей виделись очень яркие и нарядные.

Глава 12

Пока подруги то впадали в самое черное и безграничное отчаяние, то выныривали из него и надеялись на чудо, в это самое время майор трудился изо всех сил, чтобы это чудо сотворить. Он чувствовал, что они идут по следу. Идут, наступая на пятки. Все указывало на то, что дом его обитатели покидали в большой спешке. А значит, преступники хоть и удрали, но уйти далеко еще не успели.

— Они залегли где-то поблизости, а если уехали на машине, то нам надо отследить ее! — решил про себя майор. — Выяснить бы только, что это была за машина.

Сейчас в гараже не было ни одного автомобиля. Однако следы на земле указывали на то, что тут побывала не только «Ауди» Салима, но и еще несколько легковых машин.

К сожалению, все записи с камер наблюдения, установленных в доме, оказались уничтоженными. И была уничтожена сама аппаратура.

Вопреки приказу начальства — держать разведку в курсе расследования — майор решил о своих планах больше никому, кроме своих людей, не говорить. Но и им майор приказал держать язык за зубами.

— Не нравится мне, что кто-то нас все время опережает, — сказал он им. — Сдается мне, что в наших рядах оказался дятел.

— Какой дятел?

— Такой дятел... — буркнул майор. — Который стучит!

— Кому стучит?

Этого майор объяснять не стал.

— В общем, никому лишнего словечка! — велел он своим ребятам. — Поняли меня? Ни словечка с этими... разведчиками. Тоже мне разведчики называются, свидетелей у них одного за другим убирают, а они даже сказать не желают, кто против них работает.

Майор был серьезно обижен тем, что, хотя его людям и приходилось работать в тесном взаимодействии с разведкой, они так и оставались на втором плане. Полицейским всячески давали понять, что их роль в этом расследовании чисто вспомогательная, они должны исполнять приказы типа «сбегай», «узнай», «добудь», но при этом они не должны задавать никаких вопросов.

Но невзирая на это, майор сознавал: они все выполняют важную работу, и ее надо выполнить не просто хорошо, а отлично.

— Костьми лягу, а докажу этим зазнайкам, что мои ребята не лыком шиты!

Намерение майора четко совпадало с настроением его подчиненных, и потому результаты расследования радовали всю следственно-разыскную группу.

Да, пусть Никите и удалось выяснить, что дом был взят в аренду гражданином Копытовым, Чистильщиком. Но все подробности этой сделки выясняли уже майор и его люди. Они узнали, что договор аренды был заключен на год, но оплачены были лишь первые два месяца.

Полицейские вышли на представителя агентства «Элита». А дальше расследование уже пошло как по маслу. Сотрудники полиции договорились о встрече с начальником отдела аренды и встретились с ним.

Упитанный благообразный добрячок с умными поросячьими глазками, услышав, что в доме произошло убийство, даже руками всплеснул:

— Катастрофа! Ужас! Страшный удар по нашей репутации! Как чувствовал, не надо было сдавать этот дом тому человеку.

— Вы лично занимались этой сделкой?

— Да! Дом большой, обстановка недешевая, мне хотелось, чтобы все прошло без накладок. Да и, сказать честно, сам клиент показался мне каким-то мутным. Я хотел лично убедиться, что сделка пройдет без эксцессов.

— Чем же вам клиент не понравился?

— Взгляд у него был такой неприятный, и глаза очень холодные.

— Зачем же тогда сдали ему дом?

— А что я мог поделать? — развел руками толстячок. — До появления этого Копытова дом стоял пустым почти пять месяцев. Представляете себе? Пять месяцев простоя! Мы трижды снижали цену, но все равно желающих не находилось.

— Почему? Дом хороший, теплый, правда, находится в уединенном месте, в отдалении от другого жилья, но зато с прекрасной обстановкой.

— Дело не в самом доме и не в степени его удаления от благ цивилизации. Сейчас на рынке аренды ситуация такова, что особняки и коттеджи сдать в аренду вообще очень сложно, практически невозможно. Все, кто имел наличные, вложились в недвижимость, сами жить в этих домах не хотят, пытаются сдавать, а клиентов для всех нету. Тут уж нравится тебе клиент или не нравится, дело десятое. Главное, чтобы он был платежеспособен.

— А у гражданина Копытова деньги были?

— Он оплатил наши услуги, а также два полных месяца аренды. Оплатил и глазом не моргнул, а это очень приличная сумма. Сам дом сдается за сто тысяч плюс наши услуги, всего получилось триста тысяч. Отдал одним махом наличными. Вот только я не вполне уверен, что это были его собственные деньги.

— Почему? — удивился следователь.

— Понимаете, — замялся толстячок, — во время нашего с ним общения несколько раз возникали небольшие разногласия... о, нет, ничего серьезного, просто детали, связанные с оплатой счетов и прислуги. Так вот, наш клиент всякий раз выходил из помещения и, как мне кажется, кому-то звонил, советовался.

Толстячку были показаны фотографии Чистильщика, и он сразу узнал своего клиента.

— Да, это господин Копытов! Извольте взглянуть на экземпляр договора, в котором указаны его паспортные данные и прочие сведения.

Но паспортные данные очередного фальшивого паспорта Чистильщика полицейских сейчас не слишком заинтересовали. Они понимали, что кому-то еще придется заняться тем, откуда у Чистильщика брались фальшивые документы, да еще в таком количестве. Ясно, что он их где-то приобретал, а значит, нужно найти и прикрыть эту лавочку. Но это потом, а сейчас полицейским надо было совсем другое.

— Что вы можете сказать по поводу самих владельцев дома? Они могут быть знакомы с Копытовым?

— Владельцы живут за границей. Своего будущего арендатора они в глаза не видели. Да и зачем им с ним знакомиться? Они полностью доверили нашему агентству свой дом. И если у вас есть какие-то вопросы по поводу самого дома, задавайте их нам, мы на все ответим.

— Кто занимался работой в доме? — задал следователь очередной вопрос. — Я имею в виду, убирал, готовил, работал в саду?

— Практически весь штат прислуги, которая работала в этом доме, мы получили в наследство от самих владельцев. Они особо оговорили этот момент, так как не хотели лишать свою прислугу работы. Но... Как я вам уже говорил, дом простоял пустым почти пять месяцев. Конечно, работающим в доме людям на это время предоставили отпуск.

— Неоплачиваемый, как я понимаю?

— Правильно понимаете. Все они были очень недовольны простоем. Для людей эта работа была практически единственным источником существования. Когда клиент нашелся и была достигнута договоренность о найме прислуги, мы тут же известили старых работников, и почти все они изъявили готовность немедленно приступить к выполнению своих прежних обязанностей. Исключение составила лишь одна девушка, выполнявшая работу горничной. Она уже нашла место в другом доме и вернуться отказалась. Но когда я уведомил клиента о возникшей проблеме, он заявил, что это никакая не проблема, он сам найдет девчонку для того, чтобы махать метелкой по дому.

— Говорите, освободилось место горничной? — пробормотал майор. — И как? Нашел Копытов новую горничную, не знаете?

— Вот чего не знаю, того не знаю. Мне он ни о чем подобном не докладывал. И вообще, с тех пор как мы подписали документы и я передал Копытову ключи от дома, я его больше не видел. Как у него обстояли дела с наймом горничной, я не знаю. Спросите у него самого.

— Если бы я мог, — вздохнул майор. — Но дело в том, что Копытов мертв.

— Как? И он тоже?

И если бы только он один! Но майор счел, что и так сообщил толстячку слишком много лишней информации.

— Вы знаете имена людей, работавших в доме? Можете их продиктовать?

Толстячок оказался аккуратистом. Все, что касалось дома, хранилось у него в отдельной папочке с многочисленными файликами в ней.

— Мы дублируем всю информацию как в электронном, так и в бумажном виде. Как показывает практика, так гораздо надежнее.

Таким образом полицейские стали обладателями полного списка прислуги, работавшей в доме. Оказалось, что список совсем невелик, он содержал всего три имени.

— Повариха, садовник и горничная.

И за исключением той самой девушки — горничной, которая отказалась вернуться на старое место, двое других, то есть повариха и садовник, проживали неподалеку от особняка, в деревеньке Овраги.

Деревня получила свое название от глубоких оврагов. И что самое интересное, на месте одного из этих оврагов в свое время и был вырыт тот самый карьер, где нашлась потрепанная жизнью «Лада», принадлежавшая Гермесу.

Как только майор понял, что деревня Овраги и дом, арендованный Чистильщиком, находятся всего в нескольких километрах от места, где ребятишки нашли машину пропавшего Гермеса, он почувствовал, как к нему возвращаются бодрость и энтузиазм.

— Это не может быть просто совпадение, — заявил он. — Парень побывал в этом проклятом доме или во всяком случае крутился поблизости.

Полицейские тут же отправились в Овраги, надеясь, что смогут разыскать там повариху и садовника и поговорить с ними.

Деревня была совсем невелика, она насчитывала всего несколько жилых домов. Причем лишь один из них казался основательно обжитым и ухоженным. В отличие от соседних домишек, которые тихо загибались от бедности и старости, этот домик был покрашен, блестел новой железной крышей, а в оконных проемах были стеклопакеты — вот уж поистине дивная роскошь для подобных мест.

Кроме того, в коровнике мычала корова, а то и две. Во дворе гуляли важные гуси, возле забора дрались из-за червяка пестрые куры, а когда полицейские шагнули к дому, на них набросился огромный цепной пес. Собака гремела цепью, лаяла и рычала, роняя слюну на землю. Куры и гуси бросились врассыпную, возмущенно гогоча и кудахча. На шум из дома выскочил хозяин.

— Что такое? Вы кто такие?

Разобравшись в ситуации, он присмирел, отозвал пса и пригласил полицейских пройти в дом.

— Гавриловы мы, — басил он. — Как говорится, по адресу вы зашли.

Быстро выяснилось, что хозяйственный мужик работал в барском доме, так в Оврагах называли своих богатых соседей, и был своей работой весьма доволен.

— Тогда-то я хорошо заработал, — низким, раскатистым голосом говорил он, усадив гостей за стол, куда его жена тут же проворно выставила чайные чашки, блюдо с домашними пирогами с малиновым вареньем, а потом расщедрилась и покупных конфет в вазочку насыпала.

Но конфет положила немножко, потому что дорогие, как без труда догадался следователь. Если с продуктами из собственного натурального хозяйства перебоев не было, куры неслись, коровы доились, то для похода в магазин нужно было деньжат где-то заработать. Потому и домашних пирогов хозяйка положила с горкой, их ей было не жаль, свои потому что, ценились ею недорого, так сказать, по себестоимости. Но сам майор, да и его ребята, он видел, поглядывали, облизываясь, именно на пироги. Шоколадные конфеты в блестящих фантиках заевшихся городских жителей совсем не манили.

— Вы угощайтесь, — суетилась возле них хозяйка. — Вы уж извините, что так с Буяном вышло. Он у нас к чужим дико злой. Мы его потому на цепи и держим, что боимся, как бы не загрыз кого.

— Собаку дрессировать нужно, — подал голос один из полицейских, уже откусивший кусок от пирога и теперь жмурящийся от удовольствия. — Хотите, поможем? У нас есть хорошие специалисты, они вашего Буяна так натаскают, что он будет четко и без всякой цепи работать. Внутрь впустит, а вот наружу... только после вашей команды. Хотите, я поговорю?

— Да ну, — отмахнулась женщина. — Лучше уж мы так... по старинке. — Да, Вася?

— Такая дрессировка, небось, денег стоит, — поддержал ее муж. — А у нас с деньгами туго.

— А живёте зажиточно, — возразил следователь. — Дом какой хороший.

— Скажете тоже, хороший. Старые запасы проедаем. Ведь у нас какие тут доходы? Что своими руками вырастим, то и продадим, тем и живём. А что тут заработаешь, если молоко, сыр, сливки — всё дорого выходит, если наценку большую сделать, никто и не купит!

— Почему же дорого выходит?

— Так корма для скота дорогие нынче сильно. Потому много и не заработаешь, когда скотину на одном комбикорме держишь. В копеечку влетает и мясо, и те же куры. Летом ещё ничего, летом куры по деревне бегают, сами себе корм ищут. Ну и коров на лужок вывести можно. А зимой беда.

— И сколько у вас коров?

— Две. Куда больше...

— Устаёте, небось?

— От чего устаю? — не понял мужик.

— Говорите, больше двух коров не потянете.

— Были бы выгоны, где скотину пасти, тогда дело другое, — разъяснил ему мужик. — Тогда только скотину выгодно держать, когда скотина сама по себе пасётся на подножном корме. У такой скотины и мясо здоровей выходит. Сказать честно, то мясо, что мы на комбикормах растим, я его в рот не беру.

— Как? — удивился следователь. — Не едите собственноручно выращенную телятину?

— Никогда. Не потому, что вредное или ещё что. Ведь не стали бы продавать то, что человеку во вред пойти может. Но не нравится мне это мясо. Я к тому мясу привык, что у коровы на настоящей траве получается. Тогда животные и пахнут иначе, и навоз у них не зловонный, а вроде как душистый. Принюхаешься, и сладко делается. А от нынешних таким дерьмом несет, что впору противогаз надевать.

И покачав головой, мужик заявил:

— Нет, чую, что надо за Урал ехать, говорят, землю там дают. И приличные куски нарезают. И поле, и лес, все как полагается. Бывает, конечно, что и дрянь подсунуть норовят, но уж тут как повезет.

Жена в ответ рассмеялась.

— Ишь ты, снова за свой Урал собрался! Медом тебе там намазано? Небось, не слаще нашего люди живут, иначе отбою от желающих туда поехать не было бы.

Чувствовалось, что разговор этот мужик ведет не в первый раз. Жене идея не очень-то нравится, но и протестовать открыто не осмеливается, вот и избрала такую тактику: делать вид, что не воспринимает слова мужа всерьез.

Но следователь не прерывал их. Он хотел окончательно убедиться, что они люди простые, без задних мыслей.

— Сейчас снова работа пойдет, — говорила женщина. — Ты и успокоишься.

— Да где она пойдет? Сама же говорила, что выстрелы слышала. А теперь вот еще и полиция пожаловала.

Муж был настроен пессимистически.

— Вы ведь по поводу жильца из нового дома приехали? Правильно я догадался? Убили его?

— Да. А как давно вы уже работаете в том доме?

— Давно. При хозяевах мы хорошо зарабатывали. Мы и крышу на доме перекрыли. А как жена поварихой устроилась, так и стеклопакеты поставили. Нет, что ни говори, хорошо тогда жили. Днем в усадьбе, вечером у себя на огороде и по хозяйству. Днем-то у нас на хозяйстве одна бабка оставалась, птице корму задать — это она могла и без нас. А уж вечером мы с женой впрягались. Ну а потом пять месяцев никакой работы не было! Все накопленные запасы мы проели. Думали, что, когда жильцы в доме появятся, про нас снова вспомнят. Да не тут-то было. Всего пару месяцев поработали, да и то не так, как при хозяевах. Тогда-то у нас каждый день был занят, каждый день мы на работе и при деньгах, соответственно.

— А при жильцах не так стало?

— Все не то! Тут если раз в неделю позовут, меня газон постричь, ей чего-нибудь мясного замариновать велят, то и хорошо. А бывало, что и неделями в доме никто не появлялся.

— Только то и радует, — добавила хозяйка, — что почти всех кур мы им продали. Они их на гриль пустили.

— Кто — они-то? — насторожился следователь.

— Ну жилец новый, что в доме поселился. И еще гости его.

— Значит, вы видели тех людей?

— Не-а, видеть мы никого из них не видели.

— С одним хозяином дело имели.

— Только сдается мне, что это не он хозяином там был, а те, что приезжали, были его хозяевами.

— Но нам-то он хозяином представился.

Следователь снова полез за фотографией Чистильщика:

— Этот человек?

Жена с мужем переглянулись и дружно кивнули:

— Он самый!

— Отлично! — повеселел следователь.

Разговор наклевывался весьма интересный. Эти супруги, раздосадованные упущенной возможностью подзаработать, были готовы выложить о жильце богатого дома и его гостях такое, чего, возможно, не стали бы говорить в иных обстоятельствах. И этой их рвущейся из груди обидой следователю нужно было воспользоваться во что бы то ни стало.

Так что он поудобнее устроился на стуле и похвалил пироги хозяйки:

— Душистая у вас выпечка, словно лето снова наступило.

— Кушайте на здоровье, — расплылась та в довольной улыбке. — Я в варенье кроме ягод малины еще и листья кладу, когда заготовку делаю. В листьях самая польза, все витамины, да и аромату они добавляют.

Но следователю уже было неинтересно слушать про пироги и деревенское житье-бытье.

Он повернулся к хозяину дома и произнес:

— Говорите, жилец в доме редко появлялся?

— От силы раз в неделю. И всегда с гостями. Сначала сам приедет, все проверит, нас с женой, если нужно, позовет прибрать или приготовить чего, а через несколько часов или даже на следующий день и гости приезжают. Нет, жаловаться не приходится, хоть работы и мало было, зато кур хозяин у нас покупал, нравилось его гостям, что мясо свежее, парное. И бычка мы только ради его гостей закололи. Они все мясо у нас скупили, а кости Буяну достались — это его радость.

— Жалко, что свинью не захотели купить, — добавила хозяйка. — Свинью-то мы как раз колоть и собирались. Теленок еще маленький был, ему бы нагулять мяска немножко. А свинья в теле, и чего они ее не захотели?

— Ну, да уж ладно, — перебил ее хозяин. — Чего снова свое завела?

Но женщина никак не могла успокоиться.

— А свинью-то в самую пору было колоть, — продолжала она бубнить. — И уж какая свинья-то замечательная была! И мясо, и жир, на шашлык, я считаю, лучше свинины ничего нельзя найти. А этим нет, телятину подавай. Да что в той телятине проку? Ни жира, ни вкуса, одно название, что телятина.

— Вообще-то жилец сначала у нас ягнят спрашивал, да мы ягнят не держим. Тогда он кур сначала купил, а потом бычка зарезать распорядился.

Следователь быстро кумекал. Если гости Чистильщика не ели свинины, предпочитали баранину, а на крайний случай были согласны на бычка и кур, значит, они были мусульманами, которые свинины в рот не берут, считая мясо свиньи нечистым. Плюс найденное в саду тело Салима, который также был мусульманской веры. Возможно, Салим знал тех людей, которые обосновались в этом доме. И тогда переодевание Дины в одежду горничной могло иметь вполне логическое объяснение, в котором не было никакой романтики, один деловой подход. Салим хотел, чтобы Дина была его ушами и глазами в доме, где, как он подозревал, могли содержаться пленники.

Как известно, из этого ничего хорошего не получилось. Чистильщик не допустил утечки информации. Были устранены и сама лазутчица Дина, и ее покровитель Салим.

Оставалось выяснить, что же случилось с теми двумя мужчинами, которые также приехали на «Ауди», с Эдиком и Лисицей.

И следователь продолжил разговор с хозяевами дома:

— А раньше, как я знаю, у вас в доме больше народу трудилось?

— Да где же больше? Мы с женой и работали. Да еще девчонка одна, она в комнатах убиралась. Ну и на кухне иногда жене помогала. Только она городская была и быстро себе новое место нашла. Пять месяцев, как мы, ждать она не захотела.

— И жилец обходился без горничной? Кто же делал ее работу?

— Я убирала одно время, — произнесла женщина.

— Только он недоволен был. Все говорил, что ему для уборки по дому молодая женщина нужна, симпатичная и чтобы коровником от нее не пахло.

Жена кинула на мужа убийственный взгляд, но при гостях выговаривать ему за бестактность не стала, сдержалась. Только помрачнела так, что следователю стало искренне жаль мужика, который сам себе создал проблему.

— Потом наш новый хозяин какую-то свою знакомую пригласил, но и с ней у него не заладилось. Любопытная больно была, да и вместо того чтобы дом убирать и вообще трудиться, все к нему липла. Ну, он ее домой и отправил, сказал, что если кувыркаться, то лучше он к ней сам приедет, чем тут ее постоянно терпеть. Сразу после этого другую девчонку искать начал.

— И как? Нашел?

— Вроде бы нашел. Болталась там в субботу утром одна, уже в платье горничной.

— А откуда взялась?

— Ее один мужчина привез, вроде как знакомый жильца. Не тот, что с гостями приезжал, не близкий, а так...

— А эту последнюю горничную вы видели?

Муж с женой кивнули. Следователь мешкать не стал, показал этим двоим фотографию Дины и сразу понял, что они ее узнали.

— Так это она.

— Она самая.

— А машина, на которой ее привезли, была белая?

— Точно. Белая. «Ауди».

— Шофера не помните?

— Ну так... Видели мельком. Араб, тощий такой, кожа смуглая, глаза черные.

— Этот?

И следователь показал им фотографию Салима.

— Похож, — оценили супруги. — Вроде бы он.

Следователь мысленно вновь потер руки. Дело шло на лад.

— И долго новая горничная пробыла в доме?

— Ну как долго? Часа два-три. Где-то пыль смахнула, где-то вещички прибрала. В подвал было сунулась, да я ее назад завернула. Нечего, говорю, там тебе, девонька, делать. В подвал даже нам, старым слугам, нынче ходу нету.

— Вас новый хозяин не пускал в подвал? — удивился следователь.

— Ну как не пускал... Замок там появился. Мы и не ходили.

— А раньше замка не было? Ну, при владельцах дома?

— Раньше дверь в подвал никогда не запиралась. Да и вообще там другая дверь была.

Следователь задумался. Когда они осматривали дом, на подвальной двери никакого замка видно не было. Может, он где поблизости и валялся, но дверь стояла открытая. Однако еще тогда следователь обратил внимание на то, какая тут добротная стальная дверь, которая вроде бы в доме совсем не к месту.

— Значит, жилец поменял дверь в подвале? А когда?

— Недели две назад. Около того.

— А зачем? Он вам не объяснил?

— Мы и не спрашивали. Раз поменял, значит, так ему нужно было, правильно? Может, старая сломалась или еще чего.

Хозяева дома явно чего-то недоговаривали. И следователь решил поднажать на них.

— Я к вам ведь не только по поводу убийства жильца пришел. Девчонку-горничную, которую вы видели в субботу, убили. И тот мужчина, который ее привозил, тоже мертв. Его тело нами обнаружено в саду дома, где вы работали все это время.

— Батюшки! Это что же такое делается?

Хозяйка побелела словно полотно. Да и хозяин был, мягко говоря, не в своей тарелке.

— Мы-то ни сном ни духом, — пробормотал он и покраснел.

Следователь видел, что этот человек знает больше, чем говорит. Но как его вынудить к откровенности?

— У нас есть основания предполагать, что, кроме этих совершенных убийств, жильцом дома и его сообщниками незадолго до того были похищены несколько человек. И как мы подозреваем, пленников все эти дни держали в подвале. Вы ничего не замечали?

— Нет! Мы ничего не замечали!

Хозяева были напуганы, но колоться не собирались. Видя, что они того и гляди уйдут в глухую несознанку, следователь смягчил тон:

— Вас никто не обвиняет. Напротив, вы и сами подвергались нешуточной опасности, тесно общаясь с такими людьми. Думаю, вам очень повезло, что кто-то расправился с вашим новым хозяином до того, как он прикончил вас.

— А нас-то за что? — возмутилась женщина.

— Как свидетелей, — пояснил ей следователь.

— Васька, слушай! — всплеснула руками женщина, со страхом и какой-то непонятной радостью глядя на мужа, — да ведь это выходит, что Зорька-то наша тебе жизнь спасла!

— О чем это вы?

— Да о корове нашей! С ней как раз в тот день, когда новая горничная прибыла, колика случилась. Ваське мать звонит и плачет, что кончается корова-то. Беги, мол, спасай животное. Ну, мы все дела побросали, даже хозяину ничего не сказали, домой прибежали, стали возле Зорьки суетиться. Только ей полегчало, хозяин звонит. Немедленно, говорит, оба ко мне. Куда удрали?

— И когда это было?

— В субботу. Днем. Ну, мы к нему, а Буян словно обезумел. Он без цепи был, прыгает, лает, пройти не дает. Муж его с трудом усмирил, да тут снова Зорька голос подала. Ну, мы к ней вернулись и не пошли никуда.

— И как ваш хозяин на это отреагировал?

— Да никак. Ладно, говорит, я сейчас сам отъеду ненадолго, но к вечеру вернусь, позвоню, и чтобы оба были на своих местах, а то никаких денег не получите.

— Но вечером он не приехал?

— Нет.

— И не позвонил?

— Нет.

— И что же, с субботы в доме никто не появлялся?

— Мы не знаем. Вроде бы стреляли на следующий день в той стороне.

— От того дома до вашей деревни почти пять километров. Как вы могли на таком расстоянии слышать выстрелы?

— Это по дороге пять, а лесом, если напрямки, то ближе.

— И когда стреляли?

— В воскресенье, до обеда еще дело было.

— И кто стрелял?

— А мы знаем?

— Но ведь стреляли, как же вы не поинтересовались, кто, да что, да почему?

— А вот и не поинтересовались. Не звали нас, так чего соваться?

И взглянув на жену, мужчина растерянно произнес:

— Теперь-то, видно, мы уж точно ничего за свою работу не получим.

— Как с покойника получишь? — откликнулась супруга. — Разве что его родственники заплатят. Вы не знаете, были у покойника родственники?

Следователь посмотрел на этих людей и произнес, не скрывая своего осуждения:

— Вы не о пропавшей зарплате печальтесь, а радуйтесь, что живы остались. Уверен, ваш хозяин вас неспроста так настойчиво звал. Та девчонка-горничная засланной ласточкой оказалась, он про это узнал и из дома уехал в тот день, чтобы ее убить. А перед этим он со своими сообщниками убил того мужчину, который привозил девушку. И вас он тоже бы убил, можете в этом даже не сомневаться. Вы были ему опасны, так как слишком много видели и знали.

Теперь хозяева были ни живы ни мертвы. Слова следователя совпали с их собственными ощущениями. И перекошенные бледные лица этих двоих говорили о том, что они все поняли, осознали опасность и теперь прикидывают, удастся ли им выбраться из этой истории целыми и невредимыми.

— Вам очень повезло, вы остались живы. Но есть люди, которые еще находятся в руках этих злодеев. Вы должны помочь нам спасти их.

— Так вы говорили, что жилец убит.

— Есть и другие, те, кто приезжал к нему под видом гостей.

— И эти люди тоже могут желать нам зла? — Голос женщины звучал испуганно.

И когда следователь с весьма мрачным и многозначительным видом покивал в ответ, женщина буквально позеленела от страха. Следователь же, хотя всерьез и не думал, что кто-то может покушаться на жизнь двух этих деревенских жителей, все же решил напугать их. Это сделало бы свидетелей более сговорчивыми.

Расчет следователя оправдался в полной мере.

— Мы вам расскажем!

— Да, расскажем! Они и правда держали кого-то в подвале!

— И еду им туда носили. Кашу!

— Откуда знаете? — спросил следователь.

— Я сама ту кашу готовила, — призналась хозяйка. — Отдельно жрачку для гостей, мяса и кур намариновала, и отдельно кашу в большой кастрюле сварила. Как хозяин велел, так и сделала. В той кастрюле десятерым наесться можно было. Я и говорю: «Зачем так много?», а он мне отвечает: «Вари, чтобы впрок было».

— И что за кашу вы варили?

— Хозяин сказал: свари геркулес на мясных обрезках. Вроде как ты для своей собаки дома варишь. Сказал, что гости со своими охотничьими собаками приедут, надо собак тоже накормить.

— А вы собак тех видели?

— Нет. И следов никаких не видела. А вот каша исчезла. Это точно. Через день мне пустую кастрюлю в мойку сунули, я ее помыла, тем дело и кончилось.

И видя, как сжался рот у следователя, женщина развела руками:

— Ну я же не знала, что это для людей.

— Не знали? Неужели?

— То есть сначала не знала. Потом-то, конечно, понемножку стала догадываться.

— Вы и тогда обо всем догадывались! — не сдержал своего возмущения следователь. — И если бы вы сообщили о том, что творится в доме у вашего нового хозяина, возможно, вы бы спасли человеческую жизнь, и даже не одну!

Женщина молчала. Вид у нее был виноватый и в то же время неприступный. Да, она понимала, что поступила неправильно, совесть ее грызла. Но угрызения совести были ничтожно слабы по сравнению с инстинктом самосохранения, который настойчиво советовал женщине молчать и не совать свой нос в чужие дела. Так что, о многом догадываясь, женщина помалкивала, слушаясь нового хозяина и выполняя его приказы.

Они с мужем понимали, что этот жилец не чета владельцам дома, супружеской паре — тихим и интеллигентным творческим людям. Он — художник, она — писательница. С теми хозяевами прислуга горя не знала. Но жилец завел в доме свои порядки, многие из которых старым слугам были не по нутру.

— Но что мы могли поделать? Точно ведь мы ничего не знали. Сами-то мы никого не видели. А что кашу один раз надо было сварить в большой кастрюле, так мало ли для каких целей? Может, те гости и впрямь собак привозили, для них и каша. Хотя странно, каша исчезла, а вот следов собачьих нигде не было. Ни в саду, ни в доме. А ведь от собак всегда грязь остается. Если Буян в дом зайдет, после него полдня все отмывать нужно.

Следователь молчал. Он не осуждал и не оправдывал этих людей. Они поступили так, как поступило бы на их месте подавляющее большинство. Они струсили и решили, что если вести себя тихо и мирно, то беда пройдет мимо. Она и прошла, но лишь чудом, благодаря тому, что человек, который собирался расправиться с ними, сам был убит.

Разумеется, пленников привезли, когда слуг в доме не было. И увезли их точно так же. Но когда это произошло? Вот что следователю нужно было выяснить подробнее. И он снова приступил к разговору со своими перепуганными свидетелями, надеясь извлечь из них те жалкие крохи информации, которыми эти двое располагали.

Но очень скоро следователю стало понятно: то немногое, что ему удалось узнать, никак не поможет ему в поисках гостей Чистильщика и его пленников.

Глава 13

Между тем в «Чудном уголке» подруги переживали один из самых страшных периодов своей жизни, наверное, даже самый страшный. Ничего хуже случившегося никогда раньше с ними не происходило.

От Эдика с Лисицей не было вестей уже столько времени, что надежда на их возвращение таяла с каждым часом. Если все эти дни в доме подруг царило уныние с проблесками света, то сегодня наступила черная тоска. Подруги слонялись словно тени. Славка, вернувшийся от тети Наташи, пугался бледных лиц мамы и тети, плакал, капризничал, не хотел ни кушать, ни спать, ни играть. Он лип к Кире, а той было не до ребенка.

В конце концов Кире удалось занять Славку кубиками, и ребенок ненадолго утих. Леся подсела к малышу, но вздрогнула, когда подруга громко произнесла:

— Нет, так жить дальше нельзя!

Славка тоже испугался громкого маминого голоса и заплакал. Лесе пришлось его успокаивать. Она покосилась на подругу: не хочет ли мать присоединиться к ним со Славкой, но Кира даже не обратила внимания на то, что ребенок плачет.

И пока Леся возилась с малышом, Кира шагала по комнате и бормотала:

— Нужно встряхнуться. Ничего не поделаешь, надо жить дальше.

Леся снова подняла голову, она не сразу поняла, что имеет в виду ее подруга.

А Кира бормотала, как заведенная:

— Нельзя нам с тобой так киснуть! От этого никакого проку, один вред. Тетя Наташа права. Нам надо взять себя в руки, признать очевидное и начать учиться жить заново.

— Что ты имеешь в виду?

— Леся, взгляни правде в глаза. Сколько трупов в этом деле есть уже?

— Ну... Если не считать Гермеса...

— Ладно, можешь его не считать, — разрешила ей Кира великодушно. — Без него сколько?

Леся отвела глаза и едва слышно пробормотала:

— Много.

— Так вот... Я тебе скажу откровенно...

И вперив в подругу немигающий взгляд, Кира произнесла:

— Похоже, что наши мужчины тоже мертвы.

Леся не сдержалась и возмущенно воскликнула:

— Как ты можешь такое говорить! Не смей!

Испугавшись громкого крика теперь уже тети, Славка снова разрыдался. Но подруги не обратили на него внимания. Они стояли друг против друга, и в воздухе сверкало от их взглядов.

— Леся, послушай меня, лучше уже сейчас признать очевидный факт и жить с этим дальше, чем надеяться, чего-то ждать, а потом узнать, что все без толку.

— Нет! — решительно заявила Леся. — Я так не хочу! И не буду!

Она подхватила Славку на руки. Кира попыталась взять у нее ребенка. Леся оттолкнула ее, и... обе подруги заревели. Славка же теперь орал словно резаный. К счастью, раздался телефонный звонок, и все трое утихли, будто опомнившись в один момент.

— Стоп! — произнесла Кира. — Нам всем надо успокоиться.

— Возьми трубку, — прошептала Леся. — А то я боюсь. Вдруг это звонят, чтобы сказать...

Голос у нее прервался.

Кира пожала плечами, словно говоря: видишь, я же говорила, надо признать очевидный факт и смириться с этим, но вслух ничего не сказала и пошла к домашнему телефону.

— Девчонки, у меня для вас хорошие новости! — услышала Кира голос Анжелы.

На сердце у Киры тут же стало легче. Голос Анжелы звучал весело и позитивно. Было ясно, что новости и впрямь хорошие.

— А что случилось?

— Сейчас мне звонил дядя Володя, он говорит, что полицейские нашли Гермеса!

— И он... он жив?

— Представляете себе, да! Правда, ему здорово досталось, но самое главное, что он нашелся.

Голос Анжелы звучал не просто радостно, она вовсю смеялась. И Кира почувствовала, как в нее саму вместе с этим голосом вливается заряд бодрости и оптимизма. Как же вовремя позвонила им Анжела! Вот уж правда, темнее всего ночь перед рассветом.

— Как? Почему? Где он был?

— Все это время Гермес находился без сознания, — продолжала рассказывать Анжела. — Думали, что помрет, столько у него травм, но он очнулся и даже может говорить!

— И кто... И что он говорит?

— Я не знаю точно. Я у Гермеса еще не была. Дяде Володе из больницы позвонили, сказали, что Гермес у них, что он пришел в себя и хочет видеть мать.

— Мать?

— Ну да... Гермес ведь не знает.

Бедный парень! Он даже не знает, какое горе его ожидает.

— А что с ним случилось?

— Кто-то на него напал.

— А кто... кто на него напал? Он видел этого человека? Знает его? Может описать?

— Я ничего не знаю, — растерялась Анжела. — Я ведь сама с Гермесом не разговаривала. Все через дядю Володю узнаю.

Кира была разочарована и своего разочарования не скрывала.

— Но зато я узнала, в какой больнице лежит Гермес. Если хотите, можем туда поехать.

Еще бы подруги этого не хотели! Они тут же подхватили недоумевающего Славика и потащили мальчика к тете Наташе. Та встретила их удивленно, ведь они забрали Славку всего пару часов назад. Но подруги даже не стали ничего объяснять женщине, просто сунули ей ребенка и сказали, что это очень важно.

— Скажите хоть, куда бежите?

— В больницу.

— Ваши, что ли, нашлись? — крикнула им вслед тетя Наташа.

— Нет. Но очнулся свидетель, есть надежда, что-то прояснится.

— Ну бегите, бегите, — проворчала тетя Наташа и, обращаясь уже к Славке, который пытался поймать тяжелую золотую серьгу, покачивающуюся в отвисшей мочке уха старой женщины, сказала: — Мой-то генерал тоже с утра умчался. Сказал, что петрушка эта ему надоела уже. Как думаешь, что бы это могло значить? Получится у него, а?

Славка радостно гугукнул. Ему удалось ухватить сережку.

— Ай! — вскрикнула тетя Наташа, схватившись за ухо. — Хулиган какой! Отпусти!

Но Славка, у которого отняли полюбившуюся ему забаву, снова расплакался.

— Вот беда, — огорчилась тетя Наташа. — Ну что ты плачешь, сердечный? Хочешь, я тебе покушать дам?

Услышав знакомое слово, Славка несколько успокоился. Тетя Наташа понесла малыша в дом. Прижимая ребенка к груди, она повторяла:

— Хоть бы у них получилось! Господи, хоть бы получилось!

Вид у пожилой женщины был удрученный.

Между тем подруги торопились в больницу. Анжелу они подхватили по дороге, ей тоже не терпелось повидать Гермеса и узнать, что с ним случилось.

— Надо же, Дину убили, — повторяла она всю дорогу. — Людмила Петровна погибла. А этот выкарабкался! Удивительно!

— А что тебя так удивляет?

— Так как же... Ни Дина, ни ее мать с криминалом никогда связаны не были, а их убили. А вот Гермес у нас джентльмен удачи. Вечно по лезвию ножа ходил. Я всегда думала, либо в тюрьме свои дни закончит, либо убьют его. А теперь оказывается, что и Дина, и тетя Люда умерли, а этот гад — живучий оказался!

— Что же делать, если так получилось.

— Несправедливо это, вот что.

Подруги в ответ только вздохнули. Судить, что справедливо, а что нет, они не брались.

В больнице подруги чуть не столкнулись с полицией. Еще издалека девушки увидели, как им навстречу по коридору идут два знакомых полицейских. И так как в больницу девушек никто не звал, они, не сговариваясь, решили:

— Прячемся!

И все трое быстро шмыгнули в дверь ближайшей палаты. К счастью, в палате никого не было, кроме одного старичка, который бездумно пялился в окно, радуясь солнышку, и совсем не обратил внимания на подруг возле двери.

Девушки надеялись таким образом переждать и пропустить мимо себя полицейских. Эти помощники майора запросто могли запретить подругам общение с Гермесом, выставить их из больницы, запретить врачам пускать девушек к пациенту. Поэтому подруги и сочли за лучшее переждать, а потом продолжить путь, так сказать, уже по спокойной воде.

Впрочем, полицейским было не до того, чтобы вертеть головами по сторонам и кого-то там куда-то выставлять. Они шли, о чем-то озабоченно разговаривая друг с другом. Наверное, они даже и внимания бы на подруг не обратили, можно было девушкам и не играть в прятки. Но зато подруги стали свидетельницами короткого разговора, который вели эти двое между собой на ходу.

— Подумать только, — говорил один другому, — столько времени ждали, пока этот дурак очухается, и вот он очнулся, но теперь нам его информация на фиг не нужна.

— Дом мы нашли и сами.

— Каких трудов нам это стоило! Вот гаденыш, не мог на пару дней раньше очухаться!

— Но зато он опознал нападавшего.

— Да, опознал. И это многое меняет.

Эта фраза прозвучала как-то растерянно и потому заставила трех подруг развернуться вслед уходящим полицейским, разговор которых был теперь слышен девушкам гораздо хуже. Подруги отлепились от стены и потрусили за ними. Они с интересом слушали продолжение разговора двух полицейских.

А те, словно почувствовав это, еще и притормозили:

— И куда нам теперь?

Голос оперативника звучал совсем уж растерянно. Он явно не знал, что им делать.

Но его коллега быстро нашел выход, он сказал:

— Майору сообщим. Он пусть решает.

Голоса их при этом звучали до крайности озабоченно. И подруги поняли: что-то всерьез обеспокоило этих двоих. Что-то такое они узнали от Гермеса, с чем теперь не знают, как поступить.

И как только полицейские ушли, подруги тут же кинулись к дверям палаты, из которой пару минут назад вышли оперативники, чуть ли не бегом.

Пострадавший лежал, опутанный проводочками, над его головой пикало какое-то устройство, рядом с Гермесом покачивалась подвешенная на крючок кислородная маска. Но в целом Гермес выглядел неплохо. Было видно, что он сильно избит, но Анжелу он узнал и радостно осклабился в знак приветствия.

— Ты чего приперлась? Мать прислала?

— Ну... вроде того.

— А сама чего не пришла? — спросил парень.

— Полицейские тебе ничего не сказали?

— О чем?

— А о чем они с тобой разговаривали?

— Да всякую ерунду спрашивали. Кто на меня напал, интересовались. Фотографию показывали.

— Чью?

— Ну того типа, что меня прикончить пытался.

— У них была его фотография?

— То-то я и сам удивился. Откуда фотка, спрашиваю? А они и говорят, мы за ним уже давно следим. Он у нас, мол, давно на подозрении.

— Ничего не понимаю, можешь рассказывать по порядку?

— А я по порядку и говорю. Только я стал описывать того придурка, который в меня стрелял, как они мне сразу же эту фотку под нос и сунули. Видать, он у них и впрямь в розыске находился.

— Значит, в тебя стреляли?

— Ага.

Физиономия Гермеса прямо лучилась от самодовольства. Он показал на свою перебинтованную грудь.

— Пулю доставали. Правда, я не помню ничего. Ни как меня в больницу привезли, ни саму операцию. Врачи сказали, что я без сознания все это время был. А полицейские велели им молчать, что я тут лежу. Вроде как я тут, а вроде как меня и нет ни для кого.

Выходит, полицейские давно нашли Гермеса, только никому об этом не рассказали. Подругам уж точно не рассказали.

— Но кто же в тебя стрелял?

— А фиг его знает. Я этого типа первый раз в жизни видел.

— А за что он тебя?

На этот раз для ответа Гермесу понадобилось гораздо больше времени. Он покумекал, а потом решил сделать вид, что не слышал вопроса. Плохо же он знал Анжелу, если думал, что подобный фокус может сработать.

— Отвечай! За что в тебя стрелял тот человек?

— Я не знаю.

— Врешь!

— Честно, я его не знаю.

Анжела нахмурилась:

— Ну чего ты все время врешь, Гермеска? Зачем? Я ведь знаю, что ты собирался стрясти с него немножко бабосиков.

— Да не собирался я его шантажировать. Говорю тебе, я этого типа вообще никогда раньше не видел. Я к другому ехал.

— К кому к другому?

— Не знаю. Мне мать его телефон дала и адрес. И сказала: езжай, сынок, пусть этот гад раскошеливается. Он Динку увез, ему и отвечать. Я и поехал. С матерью спорить нельзя.

— Прямо утром в воскресенье и поехал?

— Ага.

А Анжеле, с просьбой поехать к Гермесу и поговорить с ним, тетя Люда позвонила уже во второй половине воскресного дня, около трех часов. Видимо, сначала Людмила Петровна просто ждала сына назад с богатой добычей. Но затем его долгое отсутствие встревожило женщину. Ни сына, ни денег, впору вспомнить и про Анжелу.

Не то тетя Люда беспокоилась за самого Гермеса, не то за те деньги, которые могли оказаться у сына и которыми тот мог с матерью забыть поделиться, но Людмила Петровна набрала номер подруги своей дочери и изложила ей свои страхи. Правда, забыв предупредить, что это она сама и снарядила Гермеса в эту экспедицию.

— И куда же ты поехал?

— Ну, в тот дом. А там этот тип оказался.

— Кто в тебя стрелял?

— Он самый, — кивнул головой Гермес. — И главное, я ничего ему толком сказать не успел, поздороваться даже не успел, а он уже пушку выхватил и в меня выстрелил.

— И что?

— И все! Никакого араба мне повидать так и не удалось. Не знаю, может, этот гад и араба тоже замочил?

— Какого араба?

— Какого-какого... — проворчал Гермес. — Такого! У него с Динкой чего-то наклевывалось. Он ее на своей машине катал. А машина у него крутая! «Ауди»! Белая!

Это он про Салима говорит, поняли подруги. И телефон, который Гермесу дала тетя Люда, тоже принадлежал Салиму.

— Значит, в тебя не араб стрелял?

— Не-а... Русский паренек. Беленький такой, носастый.

— А почему стрелял, ты не знаешь?

— Нет. Я же говорю, я к арабу ехал. Мама сказала, он богатый. Он денег не жалеет. Он и Динке щедрой рукой отсыпал, — продолжал бубнить свое Гермес. — А потом увез, и все! Прощай, сестричка!

— И ты решил, что имеешь право на моральную компенсацию?

— Вообще-то это мамина затея была. Чего она сама-то не пришла? Стыдно, что под пулю меня подставила? Вы ей скажите, что я не сержусь. Пусть приходит и пожрать чего-нибудь принесет. Больничную еду я есть не буду. И еще пусть шмотки мне принесет. Мои-то все в крови, да и испорчены теперь.

Анжела смутилась. И, чтобы скрыть свое смущение, накинулась на Гермеса:

— Ты, прежде чем мне задания всякие давать, расскажи что знаешь! Куда именно ты к арабу поехал?

— Ну так... В дом, куда он Динку возил. Дина сказала, что там его близкий друг живет. И что они, скорей всего, там будут тусить. Так он ей обещал.

— Вот как.

— Ну да. Этот тип за Диной и водителя прислал.

— Откуда ты знаешь?

— Мать сказала, что Динка с водителем к тому арабу укатила, а потом мертвой ее на трассе нашли. Хорошо это?

— Плохо!

— Вот и мама тоже так считала. Ее идея была бабосы с этого типа стрясти. Она тоже про компенсацию выразилась. Динки, мол, больше нет, а похоронить ее надо. На приличные похороны деньги нужны, так она мне сказала.

— А откуда мать знала, где Дину искать?

— Вот у нее самой и спросите! — огрызнулся Гермес. — У Динки от матери тайн не было. В одной комнате жили, попа к попе! Небось в таких условиях и захочешь, да ничего не скроешь.

А вот им Людмила Петровна сказала, что понятия не имеет, куда отправилась ее дочь. Выходит, врала. Но зачем? Боялась, что они спугнут счастье дочери? Не хотела сглазить? Оберегала репутацию Дины?

— Ладно, об этом потом, — вздохнула Анжела. — Лучше скажи, ты Салима встретил?

— Кого?

— Ну, араба этого.

— Да не видел я его! Вот пристали! Говорю же, на меня другой напал. Молодой и русский.

— А как его имя?

— Знаешь, не представился он мне почему-то!

И поворчав, Гермес все же принялся выкладывать свою грустную историю неумного и неумелого шантажа, за который он к тому же чуть было не поплатился жизнью.

Оказалось, что идея потрясти богатого араба пришла Людмиле Петровне после бессонной ночи. Телефон мужчины, который увез с собой Дину «покататься», а также адрес дома, куда парочка должна была поехать, у Людмилы Петровны были. Она могла бы и сама заняться делом, но ей казалось, что у Гермеса получится лучше.

— Поговори там с ним по-мужски, — твердила она сыну, — объясни, что, коли он Динку увез, ему за нее и отвечать. Не знаю, что промежду них там вышло, он Динку застрелил или кто другой, но только девку теперь хоронить надо. Так что стряси с него деньги на похороны. А что лишнее останется, себе за работу возьмешь.

Гермес долго думать не стал. Не приучен был к такому делу. Да и предложение матери заинтересовало его в первую очередь своей простотой. Подумаешь, что тут такого особенного? Он ведь ничего плохого не делает, свое, можно сказать, требует. Да и ехать не так чтобы особенно далеко.

— В общем, как я понял, адрес у Динки на обоях записан был. Мать этот кусок сорвала, мне адрес продиктовала и в путь отправила.

— И куда?

— В деревню Овраги. Там это. Хотя полный адрес того дома — Лужская, 117.

Адрес был подругам знаком. Во всяком случае, на обрывке старых обоев, который остался в руке тети Люды, были именно эти три цифры — 117.

— Там тебя и нашли?

— Ага. Говорят, я в лесу валялся. В крови весь. Там дальше песчаный карьер есть, так возле него меня и нашли. Грибники к тому карьеру за грибами шли, а я им вместо боровика попался. Спасибо им, одним словом. Кабы не они, мне бы не выкрутиться. Это они меня в больницу привезли, врачи операцию сделали. Ну а сегодня я в себя пришел и все полицейским рассказал.

— Рассказывай теперь нам, что дальше было.

— А дальше чего... Приехал я по этому адресу. Вижу, дом богатый. Все как Динка матери и описывала. Ну, я позвонил, домофон у них там. Говорю, я по поводу Дины. Она тут у вас гостила, а теперь мертвая вроде как. Что делать будем?

— И тебе открыли?

— В ту же минуту. Открыли, я туда вошел, а навстречу мне этот с крыльца спускается. И главное, руку так в карман сунул, я еще удивился, чего он там ее держит. Мне бы смекнуть, что этот гад неладное задумал, да куда там. Лоханулся я, одним словом. А этот тип пистолет из кармана вынимает и прямо в меня. Даже с тем арабом поговорить не дал. И не спросил, какое есть мое предложение. Разве это дело? Разве так люди поступают?

Голос Гермеса звучал обиженно, словно у ребенка, которому не позволили поиграть чужой игрушкой. Он искренне недоумевал, почему незнакомец принялся палить в него из пистолета, даже не дав высказать свои требования.

Это заинтересовало и подруг.

— А ты можешь описать человека, который в тебя стрелял?

— Конечно. Только у ментов его фотография уже есть. Знакомый он им.

— Но ты нам его тоже опиши.

— Пожалуйста, — пожал плечами Гермес. — Мне не жаль. Коли вам охота, слушайте. Белобрысый такой, физиономия круглая, но здорово носат. Прямо такой шнобель, что закачается. А из себя молоденький, совсем пацан еще. Я потому и не испугался, когда его увидел, подумал: ну чего мне этот пухляк сделает? А он вон какой оказался... Пистолет в кармане держал!

— И что?

— И все. Анжелка, говори, чего там с матерью-то? Придет она?

— Нет.

— А почему?

— Не может.

— Дуется на меня, что ли? Обижается? Так ты ей скажи, что у меня времени на разговоры не было. Этот тип мне и слова сказать не дал, сразу же из пистолета в меня палить начал. Ты ей скажи, что никакого араба там не было. А я все что мог сделал.

— Гермеска... Она на тебя не обижается, просто...

Но договорить Анжела не успела. Дверь в палату открылась и на пороге появилась Алиса. Подруги не сразу ее узнали. В прошлую их встречу Алиса была в домашнем трико, вытянутом на коленях и рваном, на голове у нее было воронье гнездо, а лишенное косметики лицо пугало своей бледностью. Но сегодня она умело накрасилась, сделала прическу, а на узких бедрах джинсы смотрелись просто идеально.

Увидев подруг, она немного смутилась, но быстро оправилась и кивнула им головой:

— Привет.

В руках у Алисы была объемистая сумка, она поставила ее на стул и принялась доставать из нее разные вещи. На свет появились полотенца, туалетная бумага, зубная щетка, паста, мыло, спортивные штаны и футболка — чистые и даже отглаженные. И в довершение всего — термос с растворимым кофе и кастрюлька с жареными куриными окорочками.

— Ого! — поразился Гермес. — Это мать раздобрилась?

Алиска покраснела.

— Это я... сама.

— Мировая ты баба, Алиска, — обрадовался Гермес. — Не была бы ты наркоманкой конченой, женился бы на тебе, честное слово.

Алиска покраснела еще больше. Она робко топталась возле кровати Гермеса, который с видимым удовольствием принялся уписывать жареную курицу. А подруги почувствовали, что они тут явно лишние.

— Ну, если ты больше ничего не знаешь, пожалуй, мы пойдем.

— Угу, — хмыкнул Гермес, не выпуская курицы из рук. — Валите. Да матери скажите, что может не приходить пока. За мной есть кому присмотреть.

Когда подруги выходили из палаты, они столкнулись с медсестрой. Та неодобрительно посмотрела на них и прошипела сквозь зубы, что к больному вход ограничен.

— Кто вас вообще пустил?

Но отвечать на этот вопрос трем подругам не пришлось. Медсестра взглянула за их спины, увидела уписывающего жареную курицу Гермеса, запивающего вкусное жирное мясо сладким растворимым кофе, запах которого разносился по всей палате, и лицо женщины перекосилось от возмущения.

— Да вы что! — взвыла она не хуже пароходной сирены. — Вам же нельзя! Отдайте! Выплюньте немедленно!

Какое-то время подруги с интересом наблюдали за тем, как разворачивается схватка между Гермесом и Алиской с одной стороны и медсестрой с другой. Конечно, ослабевший после ранения и потери крови Гермес и тощая Алиска никак не могли оказать достойного сопротивления тучной медсестре, и после непродолжительной, но яростной схватки кастрюля с курицей оказалась в руках у нее.

Гермесу удалось лишь удержать тот кусок, который он начал пожирать еще до прихода медсестры. Да и то лишь потому, что он к этому времени успел его уже основательно обглодать, а в оставшуюся кость вцепился зубами, так что вырвать ее медсестре просто не удалось. Алиска тоже не ударила в грязь лицом, отстояла термос, за которым медсестра пообещала вернуться чуть позней.

Едва медсестра выскочила из палаты, Алиска тут же извлекла из сумки коробку с «наполеоном».

— У-у-у... — скривился Гермес. — Покупной.

— Ешь скорее, — велела ему Алиска, заботливо наливая еще кофе взамен расплескавшегося, — ешь, Гермесик, пока эта мегера не явилась и не отняла у тебя все. А «наполеон» я тебе завтра испеку свой. Или ты шарлотку хочешь?

Гермес лишь тряс в ответ головой и торопливо глотал кусок за куском. Глядя на то, как он уписывает за обе щеки жирное лакомство, запивая его угольно-черной отравой, которую с настоящим кофе роднило лишь название, подруги почувствовали странное успокоение на его счет. Если он способен есть такую гадость, значит, выздоровление идет полным ходом.

Как бы там ни было, а Гермесу удалось выжить. Его жизни теперь ничто не угрожает. Растворимый кофе, готовая выпечка и жирная жареная курица не смогут отправить его на тот свет прямо сейчас, это мина с отсроченным действием.

Кто бы ни стрелял в Гермеса, этому преступнику не удалось спровадить Гермеса следом за его сестрой и матерью. И тут же у сыщиц вновь возник вопрос: а кто же стрелял в Гермеса? Кто этот человек? И почему он до такой степени взъелся на семью Гермеса, что пожелал уничтожить их всех? Дело тут в белой «Ауди» и ее владельце или в чем-то еще?

— Возможно, мы с самого начала не от того угла плясали? — вполголоса произнесла Леся, все еще не сводя глаз с жующего Гермеса. — Что, если убийство Дины не имеет никакого отношения к исчезновению наших мужчин?

— Почему?

— Может, у семьи Дины был какой-то давний враг?

— Который только сейчас активизировался и начал расправу с ними?

— Да. Могло же такое быть?

Кира немного подумала и сказала:

— В таком случае Гермесу по-прежнему угрожает опасность.

Но Гермес, у которого разыгрался жуткий аппетит и который глотал еду не прожевывая, лишь отрицательно покачал головой в ответ на вопрос подруг:

— Не-а, нету у нас никаких врагов. Нас с матерью все любили.

Мягко говоря, это было не совсем так, но Гермес

твердо стоял на своем. Он не желал даже признавать тот факт, что могли найтись люди, желающие зла ему самому, его матери или сестре. Вопреки очевидным фактам он продолжал твердить, что все случившееся с его семьей и им самим — это чистой воды случайность.

Глава 14

Теперь, когда подруги узнали точный адрес дома, где до них довелось побывать Гермесу и Дине, они просто не могли удержаться, чтобы не наведаться в эти самые Овраги. Напрасно майор и Никита надеялись, что подруги этого адреса не смогут узнать самостоятельно. Девушкам это все же удалось. И теперь первым делом они должны были съездить туда.

Если там была Дина, если там был Салим и его белая «Ауди», то и Эдик с Лисицей тоже могли там побывать. Каким бы ни был ничтожным шанс, подруги не собирались его упускать. Так что они отправились в Овраги прямиком из больницы.

Гермес доходчиво объяснил девушкам, как добраться до нужного им дома на машине. Подруги взяли с Алиски слово, что она никуда не отлучится до их возвращения, что не оставит Гермеса одного.

Услышав это, Алиса насторожилась:

— Что вы хотите этим сказать? Что ему может угрожать новая опасность?

— Нельзя исключать такой вариант.

— Тогда я буду его охранять!

И маленькая тощенькая Алиска выпрямилась во весь рост, давая понять, что она врага к постели своего любимого ни за что не допустит!

До Оврагов подруги добрались без проблем. Пробок на дорогах не было. И весь путь занял у них от силы полтора часа. Место и впрямь было уединенное. Чтобы добраться до нужного им дома, пришлось несколько километров проделать по лесной дороге.

Глядя по сторонам на деревья, мелькающие за окнами, Леся недоуменно бормотала себе под нос:

— Если у дома номер 117, то где же остальные сто шестнадцать домов?

Майор и остальные полицейские все еще были тут. Как поняли подруги из обрывков их разговоров, полиция весь этот и прошлый день плотно занималась прочесыванием окрестностей. Полиция считала, что пленников могли перепрятать где-то неподалеку.

Никиты и его коллег не было. А при виде появившихся подруг лица у полицейских как-то странно вытянулись.

Особенно выражение лица сильно изменилось у следователя. Из просто озабоченного оно внезапно сделалось откровенно злым.

— Вы двое... Вы тут откуда взялись? — рявкнул на подруг майор. — Что вы тут забыли?

— Своих мужей! — отрезала Кира. — Показывайте, что вам удалось найти?

— Вот что, дамочки, — нахмурился майор еще более грозно. — Шли бы вы отсюда!

— Ни за что! Вы здесь уже второй день ищете, а все без толку. Дайте же и нам взглянуть.

— Нет, не дам!

Кира растерялась. Прежде майор так себя не вел. В чем же дело?

— Дайте нам взглянуть на этот дом, — произнесла она уже не так уверенно. — Как вы не понимаете, мы лучше знаем наших мужей, чем кто-либо. Если они были в этом доме хотя бы какое-то время, мы первые это поймем.

Майор покряхтел.

— Нет.

— Ну пожалуйста! Это же наши мужчины. И они были в этом доме!

— Не факт.

— Салим был, Дина была, Эдик с Лисицей тоже тут были! Мы в этом уверены!

— Ну верно девчонки говорят, — пробормотал один из полицейских. — Есть тут одно местечко, где кого-то держали.

— Покажите его нам!

— Ладно, — вздохнул майор, сверкнув глазами на подчиненного и словно принимая непростое для себя решение. — Но только на это место и только под моим личным контролем. И учтите, вы будете там ровно до того момента, пока я вам это разрешаю. Скажу уйти, и вы уйдете!

— Вы и так можете нас выдворить, — пожала плечами Кира. — Только к чему этот тон? Вы очень изменились, майор.

— Не я изменился. Это обстоятельства изменились.

— Какие обстоятельства?

Но майор не ответил.

— Идите за мной, — коротко буркнул он, поглядывая на подруг уже без прежней враждебности, но все еще хмуро. — Я вам покажу.

Так подруги и оказались в доме, который видели прежде на фотографиях и где, как они полагали, могли бывать их мужья. Если тело Салима нашли тут, значит, их мужья тоже могли здесь быть. Живые или мертвые —

это уже другой вопрос. Но конечно, подруги искренне надеялись на то, что чудо все же произойдет. И их мужья останутся живы.

В доме подруги почти ничего не сумели увидеть. От входной двери майор сразу же повел их куда-то вбок, где оказалась железная дверь, а за ней лестница, ведущая вниз, в цокольный этаж.

— Эту железную дверь повесил тут жилец, — пояснил майор подругам. — Раньше здесь была простая деревянная дверь, по словам слуг, работавших в доме. И по моему мнению, единственная причина, почему жилец — хорошо нам всем известный Чистильщик — распорядился дверь поменять, так только потому, что он прятал за этой дверью в подвале нечто чрезвычайно важное.

— Важное, да еще и способное убежать, — добавил другой полицейский.

— Вот почему дверь и заменили на железную.

Подругам не составило особого труда понять, что этими словами хотел сказать майор.

— Вы считаете, что в этом подвале держали пленников?

— У нас есть причины так думать, — кивнул головой майор. — Мы нашли в подвале следы присутствия двух-трех, а возможно, и четырех человек. Но уж то, что пленник был не один, это совершенно точно.

— Что это за следы?

Девушки боялись услышать, что найдены следы крови или чего-то в этом роде, но нет, обошлось. Майор провел их дальше и остановился возле другой двери. Она была сделана из сваренных между собой прочных железных прутьев. И судя по свежим следам сварки, соорудили ее совсем недавно.

— Чистильщик поставил.

— Кустарная работа, — заметил вполголоса кто-то из полицейских. — Сами варили.

Подруги шагнули вперед и ахнули:

— Как в тюрьме!

За решеткой оказалась маленькая темная комнатка, где, по словам майора, еще вчера прямо на бетонном полу валялись рваные одеяла, в углу стояло железное ведро и тут же на полу — железная миска с ложкой.

— Пленников увозили в спешке. Когда мы пришли сюда, то в подвале оставались еще подстилки, на которых люди спали, железные миски, из которых они ели. Вот одна осталась чистая, и эксперты ее не взяли. На других были засохшие остатки каши. Как видите, пленных все же кормили.

— Я видела такие миски в зоомагазине, — пробормотала Кира. — Они предназначены для кормежки собак крупных пород.

— Но для взрослого человека тоже подойдут.

Подруги молчали. Вот, значит, как. Пленников не убили, вместо этого их заперли в темной камере. Но о них заботились. Им кинули подстилки и даже кормили. Правда, есть им приходилось из собачьих мисок. Наверняка это было сделано специально для того, чтобы лишний раз поиздеваться над пленными.

— Мы отдали образцы одеял и посуду на экспертизу.

— И что?

— С уверенностью на девяносто процентов можно сказать, что ваши мужья были тут.

Леся все-таки не сдержалась и ахнула. Кира сочувственно погладила подругу по плечу. Она и сама переживала. Одно дело, когда подруги лишь предполагали, что их мужчины находились в этом доме. Но огромная тяжесть навалилась на них, когда они своими ушами услышали, что совсем недавно их любимые мужчины были в этом доме, их держали в темном, холодном и мрачном помещении. Сколько же времени они тут провели?

— Судя по всему, пленников увезли из этого дома буквально за несколько часов до нашего тут появления.

— Кто увез?

— Те, кто их похитил.

— И... и куда же их повезли потом?

— Мы ищем. Ведем разыскную работу. Поверьте, мы делаем все, что в наших силах.

Майор говорил еще что-то, но подруги не больно-то его слушали. Они смотрели по сторонам, взгляд скользил по голым неприветливым стенам, по полу, по бетонному потолку.

— Тут, в камере, даже нет электричества, — содрогнулась Кира. — Как же они здесь сидели? В полной темноте?

— В подвале есть свет. Дверь решетчатая. Если в подвале оставляли свет включенным, пленные могли видеть.

— А если нет? Они что же, сидели в кромешной тьме?

Майор развел руками. Да, сидели.

И желая приободрить подруг, он сказал:

— Зато мы не нашли в этой камере ни следов крови, ни чего-либо другого, что указывало бы на то, что пленников истязали пытками. Если их и допрашивали, то довольно гуманно, без внешних признаков насилия.

Девушки ему не ответили. Им было трудно примириться с тем фактом, что сейчас они стоят там, где их дорогие мужчины провели несколько дней. А что, если это были последние их дни? Что, если их увезли не в другую тюрьму, а сразу на казнь?

Видимо, их мысли отразились на их лицах, потому что майор произнес:

— У них хорошие шансы, чтобы выжить. Если их не убили сразу, как Салима или других, и даже кормили...

— Из собачьих мисок!

— Пусть так, но их все-таки кормили, а значит, хотели сохранить им жизнь. Думаю, что они живы и скоро вы их увидите.

Следователь был в душе человеком неплохим. И видя страдания подруг, он не мог не сочувствовать их горю.

Кира взглянула на майора:

— Мы можем тут все осмотреть?

— Смотрите.

Кира с Лесей медленно побрели вдоль стен. Они низко наклонялись к самому полу, чтобы не пропустить ни одной бумажки. Но света было маловато, и им пришлось пустить в ход фонарики на своих смартфонах. Теперь стало видно лучше.

— Мы с экспертами тут уже все осмотрели, — произнес майор. — Если вы надеетесь найти записку или что-то в этом роде, то зря. Ничего здесь нет.

И все же подруги не сдавались. В одном месте в бетонной стене когда-то существовала отдушина — небольшое отверстие размером с книжку. В данный момент оно было наглухо заложено кирпичами, скрепленными между собой раствором, так что в плане побега было бесперспективно. Но зато по этой кирпичной кладке, змеясь, шла тонкая трещинка. Она была почти незаметна, и без сильного света увидеть ее было просто нереально.

Однако подруги все же увидели. А увидев, попытались расковырять стену в этом месте.

— Что вы делаете? — удивился майор, увидев, как девушки ногтями ковыряют холодный неподатливый кирпич.

— Тут что-то есть.

Кира извлекла из сумки металлическую пилочку для ногтей, и дело пошло быстрей. Леся тоже полезла в свою сумку, но сразу вспомнила, что у нее пилочка керамическая, а значит, для такой цели не годная. Поэтому Лесе оставалось только стоять рядом с Кирой, светить фонариком и сгорать от зависти, что это не у нее оказалась металлическая пилочка, которой так здорово можно ковырять стену.

Какое-то время Кира пыхтела без особых результатов. Ей никак не удавалось подцепить кусок раствора, хотя она уже расковыряла приличных размеров дырку в шве между двумя кирпичами. Наконец девушке удалось углубить и расширить трещину настолько, что в нее влезла вся пилочка. Кира надавила на нее, надеясь, что сталь выдержит. Ей повезло, и спустя секунду кусок кирпича размером с кулак взрослого мужчины пошевелился.

— Давай, давай! — закричала Леся в азарте.

Кира начала шуровать пилочкой активнее, в ход пошли и маникюрные ножницы. Подоспел кто-то из полицейских с перочинным ножиком. И в конце концов кусок кирпича не выдержал, сдался и с шумом выпал из стены.

— Леся, свети сюда!

С замиранием сердца Леся посветила в образовавшуюся в стене дырку.

— Там что-то есть.

Майор тут же вмешался:

— Позвольте, я сам посмотрю.

Подруги пытались протестовать, но их попросту оттеснили в сторону и еще пригрозили, что вовсе выставят вон. Спасовав перед такой угрозой, девушки затихли. Майор же извлек из дыры маленькую бумажку, развернул ее и принялся читать.

— Что там? — дернулась Кира. — Это ведь записка?

— Да.

— От наших мужей?

— Да.

— Что в ней написано? — затрепыхались еще сильнее подруги. — Дайте нам прочитать!

Но майор уже убрал записку. Вид у него был мрачный и задумчивый.

— Что? Что там?

— Все как я и думал, — пробормотал он.

— Плохие новости?

— Наоборот. Мне кажется, хорошие.

У подруг отлегло от сердца. Они быстро переглянулись.

— Но что именно написано в этой записке?

— Этого я не могу вам сказать. Но, мне кажется, теперь я знаю, кто стоит за похищением ваших мужей и всеми прочими преступлениями.

— Кто?

— О-о-о... Это очень хитрый и лицемерный враг.

И майор быстрыми шагами направился к выходу.

— Стойте! Куда вы! — кинулись за ним следом подруги. — А где наши мужчины?

— Вот это я сейчас и буду выяснять.

И майор, избавившись от подруг, ушел.

— Вот уж никогда бы не подумал на него, — бормотал он. — На кого угодно, а на него никогда! Простак! Фуфел! Подстава!

На кого он ругается? Подруги проводили майора изумленными взглядами. Они бы еще остались в подвале, но так как остальные полицейские потянулись следом за своим начальником, то и девушкам пришлось убираться из подвала вон.

Оказавшись снова в холле, подруги замешкались. Им так хотелось побыть в этом доме еще какое-то время. Девушки чувствовали, что этот дом еще не открыл им всех своих тайн. Но об этом нечего было и мечтать. Майор выразился на их счет совершенно категорично, подруги должны покинуть территорию.

И все-таки Кира улучила минутку и шепнула Лесе:

— Притормози!

Несмотря на то что особняк был велик, в нем был всего один вход. Значит, когда пленных переводили в другое место, они должны были неизбежно оказаться в этом самом холле и, возможно, перед тем как покинуть дом, у их конвоиров могла возникнуть заминка. Машину подогнать, проверить, нет ли посторонних поблизости — одним словом, пленники могли хоть на секунду, но остаться без строгого надзора.

Но Кира столько лет тесно общалась с Лисицей, что понимала: ее мужу хватит и минуты, чтобы оставить хоть какую-то зацепку. Он должен был подстраховаться. Тот тайник в подвале был весточкой. А вдруг и в холле что-то есть?

И сделав вид, что она приводит себя в порядок перед зеркалом, Кира проворно окинула взглядом все помещение. Где же тут Лисица мог что-то спрятать? Гладкие, идеально выровненные стены в нишах были выкрашены в приятный для глаз салатовый цвет, а по всей остальной поверхности оклеены муаровыми обоями в тон.

Как и всюду в доме, здесь было много позолоты. В нишах стояли огромные фарфоровые вазы, слишком высокие, чтобы до горлышек можно было дотянуться и что-то сунуть туда. Для этого нужна стремянка, а где она?

На стенах развешаны картины — пейзажи, совсем неплохие. Но все они висят высоко, да и тяжелые золоченые рамы слишком увесисты, чтобы их можно было легко приподнять и спрятать что-то за ними.

Кира опустила глаза вниз и вздрогнула. Под ногами у нее был темно-зеленый ковер, покрытый узорами, просто идеальное место, чтобы под него что-то положить. У Киры возникла мысль, как Лисица мог оставить послание. И чтобы отвлечь внимание полицейского, которому было поручено выдворить подруг из дома, Кира завела с ним разговор:

— Капитан, а весь остальной дом вы уже обыскали без нас?

— Да уж без дела не сидели.

— Ничего?

— Что вы имеете в виду?

— Ну, следов крови, пыток.

— А-а-а... Нет-нет, дамочка, ничего такого. Разве что костюм горничной в мусоре нашли. Показали его жене Салима... пардон, его вдове, так она сразу признала униформу своей горничной. Ох и слез было! Майор наш уже и не знал, как бабу унять.

Значит, униформа, в которой позировала Дина, вернулась в этот дом. Каким образом? Видимо, вместе с

Салимом, который, отвезя Дину домой, зачем-то снова вернулся сюда. Вернулся и нашел тут свою смерть.

— Распечатку звонков покойника мы сделали.

— Салима?

— Его самого. Бурно, скажу я вам, он в свое последнее утро погулял. И началось оно у него рано.

— Рано?

— Ага. Первый раз еще в четыре утра звонок сделал.

— А кому?

Но полицейский, словно спохватившись, замолчал:

— А это уже не ваше дело, дамочка. Кому да почему, вам знать не нужно.

Кира надулась. И полицейский, желая ее утешить, сказал:

— А насчет измывательств над вашими мужиками вы не переживайте. Думаю, что обошлось без этих ужасов.

Но зачем тогда арендовавшие этот дом люди держали в подвале пленников? Если у пленников ничего не хотели узнать, зачем кормили, зачем сохранили им жизнь?

Притворившись, что ее огорчили слова полицейского, Кира пролепетала:

— Капитан, а вы не могли бы принести мне немного воды? Понимаю, что я затрудняю вас своей просьбой. Но вы такой галантный мужчина, прошу, помогите. Мне нужно принять лекарство, а без воды трудно проглотить таблетку.

И Кира извлекла из сумки бластер с таблетками от укачивания, которые она купила, чтобы иметь под рукой, если Славку начнет мутить в машине. Пока что он не страдал от этого, но Киру знакомые пугали, что сложности с укачиванием в транспорте начнутся, как и у всех, где-то после года.

— Видите, какие большие? Мне их не проглотить всухомятку.

Таблетки следовало рассасывать, а не глотать, но полицейский этого не знал и потому согласился, что такой кругляш без воды нипочем не проглотишь. К тому же полицейский был мужчиной, а значит, существом, падким на лесть и похвалу. И так как Кира величала его капитаном и называла галантным, он преисполнился желания соответствовать.

— Сейчас принесу вам стакан воды.

Стоило полицейскому уйти, как Кира тут же упала на колени и поползла вдоль края ковра. Она засунула под него обе руки, стараясь работать в два раза быстрее.

— Леся, помоги мне!

Леся тоже опустилась на колени и поползла с другой стороны. Но повезло все же Кире. Она нащупала бумажку. И сжала ее в кулаке.

— Что вы делаете?

Кира подняла голову и увидела перед собой ноги полицейского. Он держал в руках чашку, с которой капала на пол вода.

— Ничего, — поднимаясь на ноги и отряхиваясь, произнесла Кира. — Просто уронила таблетку и хотела найти.

— И как? Нашли?

— Нет. Ну, да это не беда, возьму другую.

После чего Кира сунула в рот таблетку и мужественно принялась ее жевать. Мама дорогая! Что это за гадость? У Киры чуть глаза на лоб не вылезли от острого и какого-то едкого вкуса. Тут были и мята, и ментол, и что-то соленое, и сладкое, одним словом, гадость невероятная. Так что добытая добрым полицейским вода все же пригодилась. Кира выхватила у него чашку и в два глотка опустошила ее.

Что ж, спасибо случаю, теперь она ученая и ни за что не даст такую таблетку своему Славке. Если ребенку дать от укачивания такую таблетку, то его обязательно вырвет.

Найденную под ковром бумажку Кира спрятала в кармане одежды, пока одевалась. Она не собиралась информировать полицейского о своей находке до тех пор, пока сама не прочтет записку. Если показать ее майору сейчас, то он отберет у Киры ее драгоценную бумажку, даже не потрудившись ознакомить сыщиц с ее содержимым. А Кире во что бы то ни стало нужно было прочитать, что пишет ее муж.

Почему Кира была так уверена, что записку оставил именно Лисица? Почему она начала искать под ковром? Этому было простое объяснение, если знать их семью. Они с Лисицей точно так же играли с маленьким Славкой. Прятали от него какую-нибудь игрушку под большим покрывалом, а потом наблюдали, как Славка с азартом пытается до нее добраться, ищет, роется.

К тому же Кира, не читая записки, была уверена, что она от Лисицы, так как свернута бумажка была ромбиком. Так умел складывать только любимый муж Киры. Случалось, Лисица делал по десятку таких конвертиков, стараясь обучить этому искусству и Киру. Но несмотря на все ее попытки, конвертики у нее получались кривобокими уродцами, в то время как из рук Лисицы выходили настоящие шедевры оригами.

Кира выбежала на улицу, почти не чуя ног под собой. От волнения ее всю трясло. Она добежала до своей машины, не слыша окликов Леси, которая едва поспевала за ней. И лишь забравшись в «Гольф», Кира вздохнула свободней и развернула бумажку.

«Я скоро вернусь...» — прочитала она.

Руки у нее так тряслись, что буквы прыгали перед глазами. И все же Кире удалось разобрать следующую фразу:

«Передай Лесе, ее Эдик тоже в порядке».

Кира уронила на колени руки с зажатой в них запиской:

— Господи! Спасибо тебе!

Она снова поднесла записку к глазам, перечитывая короткие строчки. И тут в машину протиснулась Леся.

— Ты что-то нашла? — тяжело дыша, спросила она у Киры.

Вместо ответа Кира протянула ей записку, в которую Леся и вцепилась, словно голодный в кусок хлеба. Она так жадно впитывала строчки, что Кира даже испугалась, не всосет ли их подруга целиком. Наконец Леся сумела оторваться от записки. Глаза у нее теперь сияли.

— Как ты думаешь, мы можем надеяться?

— Если они до сих пор живы и даже способны писать нам послания, думаю, что да.

Леся едва удержалась, чтобы не завизжать от охватившей ее радости.

— Как хорошо! — засмеялась она. — Кира, нет, ты понимаешь, как теперь все хорошо?

Но Кира покачала головой.

— Погоди, рано еще радоваться. Да, пока они живы, но записка оказалась под ковром не сегодня. И я буду спокойна только после того, как Лисица будет снова со мной! А уж тогда... тогда я ему скажу...

И Кира замерла. Она не могла придумать, что скажет мужу.

— Нет, я ничего ему не стану говорить! Я просто больше его никуда от себя не отпущу! — произнесла она.

— И я тоже!

— Никогда!

— Никуда!

— Ни за что!

И подруги поглядели друг на друга. Каждая из них твердо собиралась исполнить данное обещание. И каждая в душе понимала, что никогда этого не сделает. Как она может удержать возле своей юбки мужчину, когда он должен заниматься тем, чем ему положено заниматься? Тем, что должен делать всякий настоящий мужчина. Поэтому подруги ясно понимали: они отпустят своих мужчин снова. Будут провожать их снова и снова, столько раз, сколько потребуется. Провожать, молиться за них и ждать благополучного возвращения домой.

Глава 15

Отъехав от дома на небольшое расстояние, так только, чтобы их не было видно, Кира неожиданно свернула с дороги.

— Ты чего? — удивилась Леся.

— Мы подождем тут.

— Чего подождем?

— Когда они поедут за Эдиком и Лисицей.

— А с чего ты взяла, что они поедут?

— Ну а куда они денутся? Мы нашли записку, которая предназначалась нам с тобой. А та записка, которую заграбастал майор, была явно адресована полицейским.

— Почему ты так думаешь? А может, и та тоже была нам.

— Ага! А ты видела, как майор задергался, когда ее прочитал? Было бы там то же самое, что в нашей, он бы отдал ее нам. Майор — человек воспитанный, хоть и служит в полиции. Уверена, что в той записке, которую майор нам не показал, были указания, как им действовать дальше.

— Наши здорово рисковали! Вдруг бы эту записку нашел кто-то чужой!

— Думаю, что в их положении чуть больше риска или чуть меньше — это уже роли не играет.

А Леся продолжала восхищаться героизмом и бесшабашностью обоих мужчин.

— И как это они только не побоялись! Кира, ты подумай, какая выдержка! В темнице, а не забыли заготовить для нас и майора записочки.

— Они не теряли времени, они работали.

Наконец Леся немного пришла в себя, обрела возможность мыслить более-менее здраво и предложила:

— Может, нам оставить машину тут, а самим вернуться назад?

Кира оценила замысел подруги.

— То есть пробраться к ним и послушать, о чем у них идет речь?

Леся кивнула головой.

— А что? — пробормотала Кира. — Это идея. Пошли!

Выбравшись из машины, подруги потихоньку потрусили назад. Они были почему-то уверены, что их план увенчается успехом. Полицейских в особняке осталось мало. Они не могли контролировать весь участок, так что у подруг был отличный шанс незаметно подобраться к дому.

Но прежде чем они успели проделать полпути, впереди за высокими воротами заурчали моторы.

— Назад! — скомандовала Кира. — Они уезжают!

Подруги припустили назад к своему автомобилю, оставленному ими за деревьями. И успели вовремя. Только они шмыгнули в лес, как мимо них по дороге проехали одна за другой две машины. В обеих сидели полицейские, майор восседал на переднем сиденье головного авто. И вид у него был до того гордый и торжествующий, что подруги поняли, что они просто обязаны последовать за ним.

— Ручаюсь, он знает, где наши мужчины!

— Мы поедем за ними и тоже это узнаем!

Девушки сели в свою машину и пустились следом по лесной узкой дороге. Но затем полицейские выскочили на трассу, и стало значительно трудней не потерять их из виду. И тут подруги сообразили, что едут они в сторону «Чудного уголка».

— У меня какое-то странное чувство, — сказала Кира. — Неужели мы едем обратно домой?

— Не может такого быть!

И все-таки это оказалось правдой. Нет, сам «Чудный уголок» они проехали мимо и очутились в небольшой деревушке, которая в последние годы активно преобразовывалась в коттеджный поселок. Конечно, тут не было таких удобств, как у них в «Чудном уголке», но на то

«Чудный уголок» и был местом поистине уникальным, второго такого поселка не существовало.

Майор со своими людьми подъехали к одному из домов. Подруги остановили машину на пригорке и стали наблюдать. Голосов они не слышали, но видно им было все отлично. Какое-то время полицейские совещались, потом часть их вернулась в машины, а часть прошла в дом.

— Интересно.

Дом был крайний в поселке. Лишь с одной стороны у него имелся соседский забор, с двух других дом был окружен деревьями, и одна его сторона смотрела на дорогу.

— Поселок Триполье, — сказала Леся. — Хотя какие тут поля? Скорее уж лесок.

— На полях выстроен сам поселок. А лес они сохранили. Кстати, тут Никита живет.

— Никита?

— Да.

Леся взглянула на подругу:

— Тебе не кажется, странным такое совпадение?

— Не знаю.

— А в каком именно доме он живет?

— Кажется, дом деревянный. А крыша красная, черепичная. Так Никита рассказывал тете Наташе, я слышала.

— Слушай, у этого дома крыша как раз красная, — взволнованно произнесла Леся. — И дом из сосновых бревен сложен. Вдруг это дом Никиты?

— И что тогда тут надо полицейским?

— Я не знаю. Но если они вошли внутрь, то и нам нужно.

В дом вошел майор с двумя помощниками. А остальные расположились возле своих машин.

— Это очень странно, — произнесла Кира. — Ты не находишь?

— Я нахожу, раз майор в доме, то нам тоже надо попасть внутрь.

— Наверное, майор приехал, чтобы посоветоваться с Никитой.

— Мы должны услышать их разговор!

— Да, должны. Но как это сделать? Ворота под наблюдением полиции. Там нам не пройти.

— А мы через забор!

— Соседский? Не получится. Слишком высокий, а соседские ворота тоже хорошо видны полиции.

— Подойдем к крайнему участку под прикрытием деревьев, — предложила Леся.

Насколько могли видеть подруги, участок был большой — соток тридцать, а сразу за ним начинался симпатичный лесок. Вероятно, там даже можно было собирать грибы, они любят такие леса, но подруг этот лесок интересовал в плане прикрытия, которое он мог им обеспечить, чтобы подобраться к дому с «подветренной» стороны.

— В сам дом мы не пройдем, — сказала Кира. — Придется походить под окнами. Если повезет, услышим что-нибудь интересное из разговора майора и Никиты.

Погода стояла теплая, солнечная. И конечно, обитатели дома открыли окна, чтобы насладиться чудесным свежим лесным воздухом. Ну не роботы же они.

Подобраться к забору, не привлекая внимания полицейских, для подруг особого труда не составило. Они, спустившись с пригорка, сразу же углубились в лес.

И к ограде участка вышли за деревьями, где их не могли увидеть ни с дороги, ни из дома. Идти вдоль ограды было несложно. Деревья тут были вырублены, подлесок уничтожен. В лесочке было сухо, и ступать по мягкой траве было одно сплошное удовольствие.

Единственное, что беспокоило подруг — как они сумеют перебраться через такой высокий забор.

— Нигде ни дырки, ни щелки.

Забор был деревянный, но новый и очень добротно сделанный. Оторвать одну из досок подругам голыми руками не удалось.

— И зачем им такой хороший забор?

— Чтобы всякие вроде нас с тобой не лазили.

— Не верю, должно найтись местечко, где мы могли бы перелезть.

И впрямь в одном месте из земли торчал огромный валун. Забор проходил почти вплотную к нему. И встав возле камня, подруги принялись рассуждать.

— Если забраться на этот камень, то потом можно попытаться уже с него влезть на забор. Ну а затем спрыгнуть на участок уже проще пареной репы.

— Как это спрыгнуть? В этом заборе метра три высоты!

— Ну, не спрыгнуть, так сползти. И не преувеличивай, тут от силы два с половиной.

Но Леся считала, что прежде чем сползать откуда-либо, надо сначала на это самое заползти.

— А с этим, боюсь, у нас будут проблемы. Как нам забраться на этот валун? Он же гладкий!

Подруги в растерянности таращились на камень.

— Нам нипочем по нему не забраться! — простонала Кира, сделав несколько безуспешных попыток.

— Мы должны! Помоги нам!

Кира с удивлением взглянула на подругу. Кого она просит о помощи? Кто тут есть? Но Леся смотрела на сам камень. И прикоснувшись к нему руками, она повторила:

— Прошу! Помоги!

Кира бережно тряхнула подругу за плечо.

— Эй, ты с кем разговариваешь?

— С ним... с камнем.

— Совсем сдурела?

Но Леся не обиделась, а объяснила:

— Говорят, что в больших камнях живут духи. Вот у них я и прошу помощи. Может, ты тоже попросишь?

Кира задумалась, а потом сказала:

— Если это поможет выручить мужиков, я согласна просить и у камня.

И тоже, повернувшись лицом к камню, интеллигентным голосом произнесла:

— Помогите нам, пожалуйста.

— Не так, — зашипела на нее Леся. — Жалобнее.

— Как умею, так и прошу!

Кира побрела вокруг камня.

— И вообще, это все...

Она не успела договорить, как Леся вскрикнула:

— Смотри! Вон там!

Кира посмотрела и увидела, что небольшая березка наклонилась к самому камню, улеглась точно на его верхушку, образовав мостик. Видимо, это произошло не так давно, потому что земля на осыпавшихся корнях была еще влажная.

— Кто-то ее тут специально положил, — произнесла Кира.

Но Леся ее не слушала и просто радовалась:

— Нам повезло! Спасибо!

И Леся первой полезла по стволу дерева. Кира, немного помешкав, полезла следом за подругой. Вид у нее при этом был смущенный, и она бормотала себе под нос:

— Откуда бы взяться этому дереву? Да еще так кстати? Странно, честное слово, странно.

— Что ты там шепчешь?

— Мне кажется, что до нас этим ходом уже кто-то пользовался, и не раз.

Леся промолчала. Но она видела, что во многих местах кора на стволе дерева была ободрана и испачкана вроде бы подошвами, а это значит, что кто-то до них по стволу березы, хватаясь за зеленые ветки, карабкался точно так же, как делали это сейчас подруги.

— Мне все равно, — решила Леся. — Мы должны услышать, что затевают полицейские.

Добравшись по березе до верхушки камня, подруги с радостью убедились, что легко переберутся с него на забор. Помогли все те же ветки березы, за которые подруги держались и благодаря которым не свалились вниз. Потом Кира помогла спуститься с забора Лесе. И наконец, зажмурив глаза, спрыгнула с забора сама. Стоящая внизу Леся попыталась поймать ее, неудачно, и обе подруги рухнули в траву.

— Уф! — выдохнула Кира. — Леська, ты жива? Ау!

— Слезь с меня! — раздался приглушенный голос.

Кира отодвинулась, и Леся, вынырнув из-под нее, перевела дыхание.

— Думала, что задохнусь, — пожаловалась она, когда немного отдышалась. — Ты не могла полегче?

— Извини.

— Не извиню.

Переговариваясь, подруги встали, помогли друг другу отряхнуться и с любопытством взглянули в сторону дома. До него было рукой подать.

— Ну что? Пошли?

— Да.

Но стоило Лесе вымолвить это словечко, как внезапно со стороны дома раздались выстрелы.

— Пригнись! — крикнула Кира. — Стреляют!

Из дома прозвучало несколько выстрелов, а затем снова все стихло.

— Что это было? — прошептала Леся.

— Кто его знает. Может, мальчишки баловались. Петарды жгли или еще чего.

— Пойдем?

— Ну раз уж мы все равно тут, пойдем, конечно.

И девушки двинулись к дому. Участок был старательно обихожен, но на нем было мало растительности, а хозяйственных построек и вовсе не видно.

— Это что за участок такой? — ворчала Леся, со страхом поглядывая в сторону дома и поминутно ожидая новых выстрелов. — Деревца — прутики. Ни беседки основательной, ни сарайчика. Совершенно негде спрятаться!

Подругам не оставалось ничего другого, как броситься к дому бегом, надеясь, что они пересекут пространство раньше, чем их заметят. У них все получилось великолепно. Девушек никто не заметил, во всяком случае, сигнала тревоги и криков: «Чужие! Стреляйте по ним!» — не последовало.

Девушки оказались возле дома. И с радостью увидели, что их интуиция сработала на славу. Одно из окон первого этажа оказалось открытым. Кира показала на него взглядом Лесе.

— Нам туда.

— Высоко.

— Давай я тебя подсажу.

— Лучше я тебя. Ты легче.

Только чрезвычайные обстоятельства могли заставить Лесю признать этот факт. Кира оценила жертву подруги по достоинству. И кивнула ей:

— Подставляй руки!

Леся подставила сложенные руки, Кира встала на них ногой:

— Р-а-аз!

И она взлетела к окну. Уцепилась рукой за подоконник, подтянулась и легла животом на него. В комнате никого не было. Кира прислушалась и убедилась, что ее маневр не вызвал никакого отклика, прошел незамеченным. И высунувшись на улицу, прошептала мнущейся внизу Лесе:

— Давай руку!

Втянуть Лесю наверх было куда трудней, чем забраться самой. Кира даже застонала сквозь стиснутые зубы, таких усилий ей это стоило. Леся извивалась гусеницей и цеплялась ногами за бревна, помогала изо всех сил. И в конце концов подругам все же удалось невозможное. Кира затащила Леську наверх, в дом.

Тяжело дыша, Кира призналась:

— Никогда так не уставала.

— Спасибо тебе.

— Потом благодарить будешь.

— Что теперь?

Но Кира вместо ответа приложила палец к губам:

— Тихо! Слышишь?

Леся прислушалась и кивнула.

— Да. Голоса чьи-то.

— Пойдем туда. Только осторожно.

И девушки крадучись двинулись в направлении двери, из-за которой доносились голоса. Чем ближе они подходили, тем больше изумлялись. Обрывки разговора, а главное, голоса, которые вели беседу, заставляли подруг думать: уж не сошли ли они с ума?

— Ты слышишь то же, что и я?

— Да.

— Может быть, это запись?

— Может. Давай посмотрим.

Подруги подкрались к заветной двери и приоткрыли крохотную щелочку. Но как ни мала была эта щелочка, увидели через нее подруги достаточно. И больше уже не сдерживаясь, они распахнули дверь настежь и одновременно воскликнули:

— Это как же понимать?!

Их возмущение легко можно было понять, если увидеть ту же картину, что предстала перед глазами подруг. Симпатично обставленная комната, в центре нее стоит стол овальной формы, за которым и возле которого расположилось человек десять мужчин. Тут были Таракан и его люди, майор со своими ребятами, но самое удивительное тут были Эдик с Лисицей.

Целые и невредимые, насколько могли видеть подруги, их пропавшие без вести мужья сидели сейчас возле стола и как ни в чем не бывало разговаривали с другими мужчинами.

Какое-то время подруги стояли, разинув рот и не веря тому, что видят. У них было сильное искушение протереть хорошенько себе глаза. И лишь после того, как их мужья вскочили на ноги и двинулись к ним, подруги обрели дар речи и опять же вместе воскликнули:

— Это что ж такое делается!

Их возмущение не помешало мужчинам заключить своих любимых женщин в объятия. Но целуя их, они слышали от девушек лишь упреки:

— Мы вас всюду ищем!

— Ночей не спим!

— Все глаза выплакали!

— А вы тут... расселись... разговариваете, как ни в чем не бывало!

Слезы обиды уже готовы были хлынуть из глаз подруг.

И Лисица спросил:

— Вы что, не рады, что мы живы?

— Рады, конечно, — призналась Кира, шмыгнув носом и улыбаясь. — Но все равно обидно.

А Леся добавила:

— Вы что же, в плену не были?

Лисица улыбнулся:

— Милые вы мои! Так вот чего вы дуетесь! Скажите, вас сильно утешит, если я скажу, что освободили нас буквально за несколько минут до вашего появления в доме? А до этого мы были закованы, спутаны по рукам и ногам так основательно, что и пошевелиться толком не могли. Вот, взгляните, следы остались на руках.

На запястьях у мужчин и впрямь были видны глубокие ссадины, следы от наручников. Да и сами мужчины, как теперь видели подруги, выглядели бледными и похудевшими. И жалость к своим любимым немедленно вытеснила из сердец подруг все другие чувства, кроме раскаяния.

Теперь уже подруги кинулись целовать своих мужей:

— Бедные!

— Живые!

— Как вы очутились в этом доме?

Надо отдать должное, мужчины не стали дуться на своих любимых.

— Обыкновенно очутились, — сказал Лисица. — Как все пленники.

— Нас привезли сюда в багажнике машины, — пояснил Эдик.

— В багажнике!

— И никто этого не заметил?

— С охраной тут полная беда, — хмыкнул Эдик. — На въезде сидят охламоны, которые из будки даже выйти не потрудились.

— Но вы были в сознании, когда вас везли сюда?

— В полном.

— Почему же вы тогда не кричали?

— Почему не звали на помощь?

— С заклеенными скотчем ртами? Посмотрели бы мы, как у вас это получилось бы.

— Вам еще и рты заклеили?! — ужаснулись подруги.

— А вы думали! Спасибо нашему генералу, а также майору и его людям, они освободили нас.

Но подругам надо было знать все и сразу.

— Значит, вас перевезли сюда из другого дома? Мы тоже там были!

— И как он вам? — полюбопытствовал Лисица.

— Ужасно! Темно, сыро, кошмарно!

— Скажу я вам, в прежней темнице мы хоть и сидели в потемках, но условия нашего содержания были поистине царские. Мы могли двигаться, разговаривать, нас не били, не обижали, давали воду, а один раз так даже всех накормили кашей. Но тут мы оказались поистине в чудовищном положении. Тут нас держали буквально спеленутыми по рукам и ногам, чтобы ни шевельнуться, ни позвать на помощь мы не могли. И боюсь, если бы не появление наших друзей, мы могли и впрямь погибнуть.

Подруги побледнели. И Эдик воскликнул:

— Но мы-то остались живы!

— Это самое главное! — поддержал его Лисица.

— Все позади, — заверил подруг и майор. — Могу вам дать в этом честное сыщицкое слово. Но скажите, милые леди, удовлетворите мое любопытство: как вы-то сами очутились в этом доме? Я не помню, чтобы оставлял вам адрес.

Подруги хотели ответить ему, но неожиданно почувствовали, как силы оставляют их. Теперь, когда их мужьям не угрожала никакая опасность, девушки в полной мере ощутили, как они устали и вымотались за эти дни. Сил у них не осталось, они потратили их все до капли на свое расследование и последний предпринятый ими марш-бросок.

Ноги девушек их больше не держали, да и перед глазами все кружилось и плыло. Наверное, Кира с Лесей сели бы прямо на пол, но кто-то услужливо подставил им стулья, кто-то сунул им в руки стаканы с водой, и все обошлось. Головокружение и тошнота прошли, слабость и дрожь в руках, правда, остались, но с этим еще можно было мириться, ведь теперь рядом с ними были их дорогие мужчины.

Глава 16

Когда объятия и поцелуи закончились, все собравшиеся в этой комнате мужчины вновь приступили к обсуждению своих дел. Вначале они поглядывали на подруг искоса, даже раздавались голоса за то, чтобы посторонних выставить за дверь, особенно на этом настаивали коллеги Эдика и Лисицы.

Но тут уж девушки сумели дать им отпор.

— Нет! Не дождетесь!

— Никуда мы от своих мужей не пойдем! Даже и не надейтесь!

— Хватит с нас того, что все это время вы нас в потемках держали.

— По своей воле мы не уйдем, можете выдворять нас силой!

Таракан взглянул на девушек, понял, что разговаривать с ними сейчас бессмысленно, и произнес:

— Пусть останутся.

И взглянув на подруг, добавил:

— Но только чур обо всем, что вы тут услышите, молчать.

Подруги радостно затрясли головами. Они могли пообещать все что угодно, лишь бы им позволили остаться рядом с мужьями. Да и понять что-либо из разговора, ведущегося за столом, подругам было затруднительно. Во-первых, потому, что у подруг от счастья так звенело в ушах, что они ничего толком не слышали. А во-вторых, то, что пробивалось через этот звон, казалось какой-то абракадаброй.

Наверное, они бы поняли, что к чему, если бы им хоть что-то объяснили. Но мужчины не посчитали это нужным.

Только майору все не терпелось узнать, как они появились в этом доме. И повернувшись к ним, он задал вопрос:

— Как вы тут оказались?

Пришлось подругам сказать ему правду:

— Мы за вами следили.

— От самого дома Чистильщика.

— А потом? — нахмурился майор. — Вход в этот дом контролируют мои люди, которые остаются на улице до сих пор.

— Да видели мы их.

— И все-таки как же вы очутились в доме?

— Сначала перелезли через забор...

— Через забор? Это как же?

— Там у забора есть большой камень, к нему прислонен ствол упавшей березы, по нему мы сначала забрались на камень, а затем с камня на забор — и спрыгнули на участок. И сразу скажем, не мы одни пользовались этим лазом.

— Вот как... Видимо, эти двое, что дежурили в доме, пользовались им, чтобы беспрепятственно покидать поселок и снова возвращаться сюда. Покажете мне потом этот лаз?

— Хорошо.

— Ну а когда вы на участке оказались, что потом сделали?

— А потом мы забрались в окошко на первом этаже. Оно было открыто.

Майор покачал головой.

— Вот так просто и забрались?

— Ага.

Майор смотрел на них с нескрываемым восхищением.

— Мне говорили, что вы те еще штучки. Но лично я сам никогда бы не подумал, что вы на такое способны.

— Вы еще не знаете, на что мы способны ради наших любимых.

Леся все время держала Эдика за руку, словно показывая, что она его не намерена никуда от себя отпускать. Кира тоже попыталась взять руку Лисицы в свою, но он так жестикулировал во время разговора, что Кире пришлось эту идею оставить. Тогда она просто придвинулась поближе к своему мужу, прижалась к нему и блаженно закрыла глаза. Господи, как же хорошо! Пусть он всегда будет с ней рядом! Высшее земное счастье, ничего больше не надо.

Но постепенно подруги стали приходить в себя. Они вновь обрели возможность видеть, слышать и соображать. По разговору мужчин они поняли, что этот дом и впрямь принадлежал Никите. Но где же сам хозяин дома?

Когда Кира спросила об этом у майора, тот нахмурился:

— Об этом предателе даже и говорить-то не хочу.

Никита — предатель! У подруг екнули сердца, и их даже в холод кинуло. Теперь они стали внимательнее прислушиваться к разговору между разведчиками и полицейскими и поняли, что у Таракана и майора подозрения насчет этого прыткого молодого человека зародились практически одновременно. Поэтому и в дом к Никите они прибыли с разницей в несколько минут.

— К тому времени, как мы вошли в дом, тут все было уже кончено, — сказал майор.

— Как это?

— Разве вы не слышали выстрелов?

— Слышали.

— Это ребята генерала нейтрализовали людей, которым была поручена охрана пленников.

— Они их убили?

— Одного убили, второго ранили. Сейчас этого человека как раз допрашивают. Впрочем, вряд ли он может знать что-то важное. Это простой исполнитель, а таким важную информацию не доверяют.

Тут майора отвлек вопросом Таракан, и следователь отвернулся от девушек.

А Кира прижалась к мужу покрепче и, улучив свободную секунду, шепнула ему на ухо:

— Я нашла под ковром твою записку!

— Да? — ухмыльнулся Лисица. — Ну, я этому совсем не удивлен.

— Скажи, а вас только двоих спасли?

— А кто тебе еще нужен?

— Ну эти... Сверчок и Гвоздика, где они?

Лисица взглянул на жену и спросил:

— Откуда ты про них знаешь?

— Не важно. Скажи мне, они живы?

— Сверчок жив, его сейчас допрашивают. А Гвоздике повезло меньше, полчаса назад его застрелили.

— Погоди, — растерялась Кира. — Ты хочешь сказать, что вас с Эдиком держали в плену в этом доме ваши же друзья?

— Да. Только, оказывается, они нам никакие не друзья. И я тебя прошу, не болтай много об этом случае. Не очень-то здорово, что среди нас были предатели. И уж совсем худо, если об этом узнают посторонние.

— Я понимаю, — тихо ответила Кира, у которой внутри все упало. — Честь офицера и все такое. Но могу я взглянуть на этих людей?

— Зачем тебе?

— Хочу видеть лица тех, кто мучил вас и нас все эти дни.

Лисица вздохнул.

— Не понимаю, зачем тебе это нужно, но так и быть. Только ради тебя.

Он поманил за собой Киру, и они вышли в соседнее помещение. Тут на полу лежало тело мужчины изящного телосложения и с правильными чертами лица. Его римский профиль заострился так, как это бывает только у трупов.

— Это Гвоздика, — пояснил Лисица. — А Сверчок вон сидит.

Сверчок оказался невысок и худощав. Он и впрямь напоминал Сверчка. Почувствовав взгляд Киры, мужчина посмотрел в ее сторону, видимо понял, кто она такая, и тут же отвел глаза. Ему было явно стыдно за содеянное. Это было ясно без всяких слов.

— Ну что? Довольна?

— Да. Пойдем отсюда.

И выйдя из комнаты, Кира прошептала на ухо мужу:

— Никогда бы не заподозрила этих двоих в предательстве. По виду они самые обычные сотрудники.

— А как бы ты хотела? Чтобы у них на лбу это было написано? Нет уж, предатель тем и опасен, что долгое время остается неузнанным.

Как ни тихо говорили Лисица с Кирой, майор услышал последнюю фразу и тоже встрял в разговор, похвставшись:

— А я давно понял, что в ваши ряды затесался предатель.

— И кто же вам подсказал?

— Во-первых, мне с самого начала казалось, что все наши планы преступники знают наперед. Потом одна из жертв — молодой человек, очнувшийся в больнице, сумел опознать по фотографии стрелявшего в него человека. Им оказался ваш Никита. Ну и потом из вашей записки, ребята, я уже окончательно уяснил, кто организатор вашего похищения и где вас можно искать.

Майор говорил, обращаясь не только к Эдику и Лисице, но и к остальным разведчикам, и в первую очередь к Таракану.

— А вы-то сами как тут раньше нас оказались?

— За это надо сказать спасибо моей жене.

Услышав такое, подруги недоуменно взглянули на старого генерала. Его жене? Но при чем тут тетя Наташа?

— Это она с самого начала сказала мне, что Никита не так прост, как кажется. И что мне надо к нему повнимательнее присмотреться. «Шкатулка с двойным дном», так она выразилась.

Генерал к словам своей уважаемой супруги не прислушался. Никита был родственником его старого сослуживца, тот ручался за мальчишку головой, и генерал считал, что зачисление Никиты в его отдел — дело решенное и бабских советов не требующее. Видя, что ее слова не производят на мужа никакого действия, тетя Наташа примолкла. Но своих подозрений с Никиты не сняла. А в последнее время еще и усилила присмотр за ним.

— Действовала она через девчонку, племянницу Никиты.

— Через Вероничку?

— Вот-вот! Сдружилась она с этой Вероничкой, девочка ей все и выболтала. Что к дяде Никите гости приехали, с черными бородами, страшные, теперь дядя Никита племянницу к себе в гости не зовет, потому что не хочет, чтобы ее те дяди напугали.

Это заставило тетю Наташу снова поговорить о Никите с мужем. И на сей раз ее затея увенчалась успехом. Вконец деморализованный и уже отчетливо сознающий, что так слаженно и быстро преступники могли действовать только в том случае, если были осведомлены о работе отдела во всех подробностях, а значит, в отделе завелся стукач, старый генерал решился всетаки проверить, что это за гости такие обитают дома у Никиты.

— Но конечно, мы не ожидали, что найдем тут обоих наших пропавших ребят. Это было приятным сюрпризом.

— А эти... с черными бородами?

— В доме никого не было, кроме двух охранников, которые оказались нашими пропавшими сотрудниками. В первый момент мы даже не поняли, в чем дело. Но когда Гвоздика открыл по нам огонь, нам пришлось произвести ответные выстрелы. Мы нейтрализовали их обоих быстро, но возможно, один из них успел передать своим условный сигнал...

— А возможно, и нет. И тогда Никита с другими своими сообщниками еще появятся тут.

— Лично я думаю, что для этого нет достаточных оснований. Хотя наблюдение за домом мы на какое-то время оставим.

— Выходит, Никита и был тем предателем, из-за которого провалились переговоры, организованные Салимом? — спросила Кира.

Таракан взглянул на нее с изумлением.

— А вам это откуда известно, красавицы мои?

— Так... узнали, — уклонилась от прямого ответа Кира, не желая признаваться, что об этом рассказала супруга господина Таракана. — У нас свои источники. Так что, Никита причина всех наших бед?

— Получается, что так. Он и еще эти двое.

— Но это же...

У подруг не хватало слов, чтобы высказать то, что накопилось у них на душе.

— Это же подло! Получается, что они предали вас, предали своих друзей... Да что там... Они предали Родину! Почему? Зачем им это было нужно?

— Видимо, противная сторона заплатила им цену, которую они сочли достаточной оплатой своего предательства.

Подруги покачали головами. Нет, не могли они понять тех двоих, а тем более простить. И горше всех их задел поступок Никиты. Гвоздику и Сверчка подруги лично не знали, а вот Никиту знали и даже считали его своим другом. Сколько бы ему ни предложили, все равно, он не должен был выступать против своих.

— Он скоро пожалеет о том, что сделал.

— Уверен, он уже жалеет, — произнес один из офицеров. — Теперь он изгой.

И изменить уже ничего нельзя. Предательство Никиты доказано. Для человека, совершившего подобное, пути назад нет.

— Значит, теперь он окончательно перешел на сторону врагов нашей страны?

— Целиком и полностью! И я бы на его месте постарался бежать из России как можно скорей.

— И вы не остановите его?

— Мы уже бросили на это все наши силы. Но Никита не глуп. Он хорошо представляет, как мы будем действовать. И конечно, он должен был подстраховаться на случай провала. Я почти уверен, что он запасся фальшивыми документами и теперь с их помощью спокойно покинет пределы нашей страны. А его новые друзья примут его под свое крылышко.

В голосе старого генерала звучала горечь. Ему было невыносимо тяжело сознавать, что племянник его старого друга оказался предателем. Был бы еще кто чужой, а так свой, почти родственник. От этой мысли генералу делалось вдвое горше.

Но подруги уже забыли про Никиту и вновь сосредоточились на своих мужчинах.

— Почему вас похитили? Что они от вас хотели?

— Сотрудничества, разумеется.

— Вас допрашивали? Били?

— Били, но не очень сильно. Видимо, не хотели повредить наши головы, забитые ценной для них информацией.

И конечно, в первую очередь подругам хотелось узнать, может ли подобная беда повториться. Но напрасно девушки допытывались у Эдика и Лисицы о конкретных причинах похищения. Их любимые мужчины лишь разводили в ответ руками и с трогательно наивным видом отвечали:

— Мы и сами толком не поняли, что к чему и почему.

Смекнув, что при посторонних мужья им ничего не расскажут, просто не имеют права, девушки замолчали. Ничего, они еще поговорят со своими любимыми, когда те вернутся домой. Рано или поздно это все-таки случится, после перенесенных испытаний Лисице и Эдику полагается отпуск. Отпуск, который мужчины проведут со своими семьями. И пусть они не рассчитывают, что девушки и на этот раз удовольствуются какой-нибудь банальной отговоркой. Теперь подруги вытрясут из них всю правду.

— Сами они не поняли! — хмыкнула Леся шепотом, обращаясь к Кире.

— Как же! — ответила та. — Все они прекрасно поняли. И сегодня же вечером расскажут обо всем нам!

— А иначе...

— Иначе они крупно пожалеют, что вообще спаслись. И жизнь в плену покажется им раем по сравнению с тем кошмаром, который устроим мы им дома.

Однако все случилось не так быстро, как рассчитывали подруги. Этим вечером никакого разговора у подруг с их мужьями не произошло по причине отсутствия дома самих мужчин. Сначала их осмотрели врачи, а потом они рассказывали уже официально обо всем, что с ними случилось за время плена. Домой мужья вернулись лишь поздно ночью в состоянии, близком к летальному.

А вреднюга Кира еще приветствовала их ехидно:

— Если судить по тому, сколько времени вас допрашивали, у вас было что рассказать!

Но она скоро пожалела о своих словах. Их мужчины выглядели такими вымотавшимися и усталыми, что у подруг не повернулся язык укорять их. Вместо этого девушки захлопотали вокруг своих мужей. После разлуки было очень здорово снова знать, что есть кто-то, о ком можно заботиться. Они их накормили сваренным на косточках крепким мясным бульоном, а потом уложили спать.

Утром мужчины снова ушли по делам, но клятвенно пообещали девушкам, что сегодня вернутся не поздно. А Эдик, всегда любивший вкусно и сытно поесть, уходя, еще и распорядился:

— Начинайте готовить праздничный стол. А то ваш вчерашний бульон был жидковат.

Лисица кивнул:

— Да, сегодня мы с вами отпразднуем наше возвращение как полагается.

Услышав это, девушки просияли и, едва дождавшись, когда мужчины уйдут, сразу же кинулись исполнять их пожелание. Славка снова был препровожден к тете Наташе, которая обещала, что они с генералом вечером заглянут к ним домой. Подруги пригласили и майора, но он, сославшись на служебную занятость, прийти не обещал, хотя и сказал, что постарается.

Но и без него набиралось немало народу. Эдик и Лисица намекнули, что могут прийти вечером не одни, а с компанией.

— Так что если приготовите много всего, за то вам укора не будет.

И девушки принялись хлопотать на кухне. Но какие же это были приятные хлопоты! Подруги так истосковались по своим любимым, что были готовы наизнанку вывернуться, чтобы им угодить. Они затеяли пироги, поставили вариться борщ, накрутили фарш для котлет, сделали любимую Эдиком долму и любимые Лисицей голубцы.

— Сколько возни с этой долмой, — ворчала Кира. — Пока завернешь фарш в виноградный лист... На порцию не меньше десятка нужно сделать. Другое дело — голубец. Один съел, и порядок.

Леся молчала, лишь ее ручки мелькали над кастрюлями, помешивая, присаливая — колдуя.

— Ради такого случая надо расстараться, чтобы не ударить в грязь лицом, — твердила она. — Пусть наши мужчины чувствуют себя сегодня настоящими королями. Но и жены у них не только умницы и красавицы, а еще хозяйки отличные!

Лесе так хотелось произвести на гостей хорошее впечатление, что Кира заткнулась и принялась изо всех сил помогать подруге.

Глава 17

Но зато и стол у подруг получился замечательный. Из холодных закусок — помидоры с сырной начинкой, красная рыбка, маринованные опята, соленые белые грибы, сладкий болгарский перец, оливки, заливное из сома с укропом, свежая зелень и овощи. Салатов было приготовлено три: оливье, мимоза и цезарь. В качестве горячих закусок выступали хачапури трех видов — с сыром, с творогом и картошкой, с картошкой и грибами. В духовке запекалась уточка с апельсинами, а фаршированное черносливом тушеное мясо бобра уже стояло на плите, дожидаясь, когда его будут есть.

Так что, когда тетя Наташа пожаловала к ним, держа в руках еще две коробки, из которых пахло пирогами, подруги даже встревожились:

— Что это у вас, тетя Наташа? Неужто пироги?

— Пироги.

— Ведь уже ставить некуда.

— Куда поставить, найдете, — возразила им тетя Наташа. — Пироги лишними не бывают, особенно если они, как у меня, с мясом.

И ведь угадала. Эти пироги гости расхватали в первую очередь. Вместе с Лисицей и Эдиком пришло еще пять человек офицеров. Да плюс Таракан. Да плюс майор, который все-таки вырвался из служебной рутины ради праздничного застолья. Пришла и Анжела, которую было просто невозможно не пригласить, учитывая тот вклад, который девушка внесла в это расследование. Да еще домработница Надя, она явилась последней, но зато прибыла вместе со Славиком, который не хотел оставаться в доме генерала один, а желал идти к папе и маме. Во всяком случае, так объяснила свое появление сама Надя, и никто не стал уличать ее в лукавстве, в том, что просто ей хотелось посидеть со всеми.

— Ну, раз пришла, садись с нами, — распорядилась тетя Наташа. — Будете со Славкой как взрослые сидеть.

Надя тут же оказалась за столом, рядом с другими гостями. Один миг — и блюдо с пирогами тети Наташи оказалось пустым. Зато все, кто сидел за столом, вместо хлеба обзавелись солидным пирогом с мясной начинкой.

Какое-то время за столом было не до разговоров. Гости с аппетитом ели, пили. Они без устали нахваливали хозяек и вкусную еду и много раз выпивали за их здоровье и благополучие. Сами подруги могли бы быть всем довольны, но почему-то они сидели как на иголках, думая лишь о том, когда же мужики наконец наедятся и с ними можно будет нормально поговорить.

Леся даже прошептала на ухо Кире:

— Может, зря мы столько всего наготовили? Ограничились бы одними голубцами и хачапури, как ты предлагала, они бы уже давно все съели, и можно было бы поговорить.

— Да ты чего? Сама же говорила, не каждый день наши мужчины домой из плена живыми возвращаются. Пусть радуются.

— Ну да...

— Раз уж наготовили целую прорву, пусть едят на здоровье.

Но все же терпение у Киры тоже иссякло. И после того как горячее было почти дочиста съедено, а до десерта дело еще не дошло, она повернула голову к Эдику и спросила:

— Можно тебя все-таки попросить рассказать нам правду?

— О чем?

— Как получилось, что вы с Лисицей оказались в руках тех людей?

— Ведь обычно ваше занятие — это компьютеры? — добавила Леся. — Как получилось, что вы лично пустились на поиски Сверчка и Гвоздики?

Эдик покосился на Лисицу, который был главным и которому принадлежало первое слово. Но Лисица, который почти в одиночку умял целый казан своих любимых голубцов, казался слепым и глухим ко всему, кроме собственного процесса пищеварения, происходящего сейчас в его организме. Лисица и выглядел так, словно собирался уснуть прямо за столом.

Поняв, что от своего непосредственного начальника он никакой команды не получит, Эдик вопросительно взглянул на Таракана. Может, старик подскажет? Но Таракан был занят тем, что объяснял что-то своей жене. И оставленный без всякой поддержки Эдик был вынужден заговорить.

Впрочем, начал он не сразу. Долго вытирал губы, поглядывая на свою жену и ее подругу с тайной надеждой, что они отстанут от него, дав просто насладиться вечером и приятной компанией. Но Леся с Кирой слишком долго ждали этого момента, так что теперь они смотрели на него не только выжидающе, но и с угрозой.

Кира еще и прибавила:

— На сладкое у нас будут булочки с заварным кремом. Твои любимые. Как расскажешь, так мы их и принесем. Так что сам понимаешь: чем быстрее начнешь рассказывать, тем быстрее сможешь приступить к десерту.

Любимые булочки оказались последней каплей, и Эдик, не видя ни от кого из своих коллег никакого знака, сдался на милость подруг.

— У нас был план. Мы с ребятами решили, что раз преступники хотят видеть именно нас с Лисицей, то надо им подыграть. Мы сделали вид, что пошли им навстречу. У Лисицы в пиджаке был жучок, который должен был привести наших товарищей туда, где бы мы ни оказались.

— Этот жучок я потом нашла у себя под ванной, — вступила в разговор Анжела. — И уколовшись о него, выкинула в окошко.

— Так вот по чьей вине мы очутились в такой заднице! — хмыкнул Эдик.

Анжела потупилась. Вид у нее был виноватый.

— Не переживай, — утешил ее Лисица. — У них все равно стояли глушилки, способные перекрыть любой сигнал. Да и обыскали они нас сразу же, как только мы очутились в их руках.

Подруги вновь повернулись к Эдику и затрясли его, словно грушу:

— Ну рассказывай, рассказывай, не спи! Куда вы с Салимом поехали от Анжелы? Прямиком к Чистильщику в гости?

— Когда мы поехали с Салимом в тот дом, то еще не подозревали, что двое наших перешли на сторону противника и что, разыскивая их, мы сами угодим в ловушку.

— Мы знаем, вы еще отправили в этот дом Дину с костюмом горничной.

— А костюм для этого маскарада Салим взял у себя дома.

— Да, у нас был план, это Салим его предложил. Дина проникает в дом под видом служанки, которая там нужна, Салим в это время отвлекает внимание на себя. А мы с Лисицей осматриваем дом и, если получится, вызволяем наших.

— Но почему вы на эту роль выбрали именно Дину? Вы же ее видели первый раз в жизни! С чего вдруг ей такое доверие?

— У нас просто не было времени, чтобы выбирать кого получше. Салим сказал, что действовать надо быстро. Вот мы и обратили внимание на Дину, которая вертелась рядом.

— И как именно вы должны были действовать дальше?

— У нас с Салимом была договоренность: как бы ни повернулось дело, он выполняет свою часть операции, забирает Дину и уезжает.

— Бросив вас двоих?

— Мы точно не могли предсказать, как пойдут дела. И поэтому велели Салиму нас не ждать и уматывать, как только Дина закончит уборку.

— Ясно, — кивнула головой Кира. — Он так и сделал. Забрал Дину и уехал, а вас оставил.

— Только Салим не знал, что к этому времени мы с Лисицей были уже и сами пленниками.

— Нас сцапали очень быстро, буквально через несколько минут после того, как мы вошли в дом.

— Все-таки мы не оперативники, нечего было и разыгрывать из себя героев.

— Сверчка и Гвоздику мы нашли, но дальше все пошло наперекосяк.

Предатели Сверчок и Гвоздика, настоящих имен которых подругам так никогда и не довелось узнать, неожиданно набросились на товарищей, связали их и запихнули в подвал.

— Нас раздели, обыскали, а потом выдали другую одежду, в которой не было никаких жучков.

— Но зачем?

— За дни, проведенные в заключении, мы не раз слышали, что вся эта операция задумана в первую очередь для того, чтобы завладеть теми сведениями, которыми мы располагаем.

— Впору было зазнаться.

После задержания их принялись допрашивать и допрашивали каждый день, иногда применяя пытки.

— Они надеялись, что рано или поздно мы все же сломаемся и согласимся с ними сотрудничать.

— Времени, как они думали, у них вагон, так что они не торопились.

— Но кто эти «они»?

— Мы видели лишь Сверчка и Гвоздику.

— И еще Никиту.

— От этих троих мы узнали, что всех, кто мог знать о том, что мы находимся в этом доме, по их приказу уничтожил один матерый уголовник, которого наняли специально для этой цели.

— Мы знаем — это был Чистильщик.

— И в первую очередь он уничтожил Салима и Дину.

— Насчет Дины мы знаем, Чистильщик заехал за ней на «Ауди» Салима. Но как сама машина оказалась у него?

— Полагаю, Чистильщик завладел «Ауди» после убийства Салима. Когда нас с Лисицей задержали, то забрали все вещи, наши сотовые телефоны оказались у противника. Видимо, с одного из этих телефонов Салиму и был сделан вызов, подделать мой голос или голос Лисицы для этих людей особого труда не составило. Ничего не подозревавший Салим вернулся за нами и...

— И нашел свою смерть.

Эдик кивнул и продолжил:

— Что касается Дины, то я не знаю, где и как Чистильщик расправился с ней.

— Мы знаем только, — сказал Лисица, — что девчонку-горничную они тоже убили, потому что нам эти люди сказали: никого из тех, с кем вы приехали сюда, в живых не осталось. Не надейтесь, что вас тут найдут. Все следы подчищены, так они выразились.

— Правильно, Чистильщик все подчистил.

— Сделал работу, для которой был нанят. Но как он нашел Дину?

— Это Дина нашла его, — произнес майор. — Видать, ей так приглянулся Салим, что она позвонила ему сама.

Подруги хмыкнули. Они-то со слов Анжелы знали, что за штучка была покойница. И догадывались, что Дине приглянулся вовсе не сам араб, а те деньги, которыми он обладал и с которыми так легко расставался.

— Дина хвасталась подругам, что в машине у Салима была сумка, набитая пачками пятитысячных купюр. Это так и было?

Лисица и Эдик выглядели немного озадаченными.

— Деньги у Салима были. Но не в сумке, а в бумажнике. Да, там были пятитысячные бумажки, но сумка... Сумки не было.

Все ясно, Дина просто приврала про сумку для красного словца, чтобы подружки ей больше завидовали. Но Салим определенно приглянулся ей, в первую очередь потому, что тратил деньги легко. И Дина прикинула. Если он заплатил ей, Дине, за небольшой любительский спектакль такие большие деньги, то сколько же он мог отвалить ей за более существенную услугу? Дина была не из тех людей, кто упускает выгоду, идущую в руки.

Майор между тем сказал:

— Мы с моими ребятами восстановили звонки, сделанные с телефона Салима в то утро.

А им об этом ни словечка! Подруги были всерьез обижены на следователя.

— Первый звонок был сделан им около четырех часов утра в субботу, вызов поступил на телефон Лисицы.

— Правильно, — согласился Лисица. — Салим звонил, когда мы с Эдиком сидели в «Трех корочках».

— А что вы там делали?

— Нам назначили встречу. Мы провели там несколько часов, но безрезультатно. Теперь я понимаю: негодяи знали, что нас прикрывают наши сотрудники. Что если они попытаются схватить нас, то ничего у них не получится. И они решили действовать через Салима.

— Так Салим тоже предатель?

— Его они использовали втемную. Закинули крючок с наживкой, который Салим и заглотил.

— И вот когда наши ребята велели нам покинуть «Три корочки», позвонил Салим. И так как мы впустую потратили уйму времени, никого не дождались, нам было очень досадно. Салим же звонил потому, что хотел нам помочь. Хотел, чтобы мы встретились, сказал, что у него есть сведения о том, где могут находиться Сверчок и Гвоздика.

— Но в «Трех корочках» вы с Салимом не встретились, — заметила Анжела. — Вы там все время вдвоем были. А потом вы к нам с Диной пристали.

— Салим по телефону сказал, что у него есть план. Но для осуществления этого плана нужна девушка, желательно брюнетка.

— Поэтому вы на Дину и кинулись!

Лисице не очень-то понравились слова Анжелы, он крякнул и продолжил:

— Твое приглашение оказалось для нас очень кстати. Дина была самое то, что нужно. И мы пошли к вам, чтобы пересидеть до приезда Салима.

— А чего по сторонам тогда так зыркали? Чего боялись?

— Ну... Все-таки трех наших положили. К тому же никакой охраны у нас с Эдиком больше не было. Мы не знали, чего еще ожидать.

— Ладно, — отмахнулась Анжела. — Как Динка-то согласилась поработать на вас? Денег вы ей предложили?

— Я уже говорил, что у Салима были наличные, большая сумма. Он предложил Дине поучаствовать в небольшом спектакле, она согласилась. И все бы ничего, но...

— Но потом Дине показалось мало того, что она уже заработала. Она позвонила Салиму, предложила тому встретиться.

— Да, было это уже около часу дня. И вот беда, сам Салим к этому времени был уже мертв. А его телефоном воспользовался...

— Чистильщик!

— Совершенно верно. Чистильщик подделал голос и акцент Салима и сказал Дине, что пришлет за ней машину, водитель которой и привезет Дину к нему.

Это было сделано для того, чтобы девушка не запаниковала, увидев за рулем машины не Салима, а хозяина дома, куда она ездила утром.

— После того как Дина села в машину, Чистильщик сначала оглушил девушку, а потом вывез ее из города и там застрелил. После чего избавился от ее тела и от машины, пересел в собственное авто.

И тут закономерно возникал следующий вопрос, который и задала Кира:

— Но кто же в таком случае убил самого Чистильщика?

— Я могу ответить, — произнес майор.

— Вы?

— Да, я. А что вы думаете? Полиция тоже даром времени не теряла. После обнаружения нами останков этого негодяя мы опросили всех возможных свидетелей, соседей. И кое-кто из них вспомнил, что в субботу вечером, когда на квартире своей старой знакомой и был убит Чистильщик, видел возле дома симпатичного молодого юношу с внушительных размеров носом и светлыми волосами.

— Это же Никита! — воскликнула Кира. — Это у него большой нос и светлые волосы.

— Так что же... Это Никита убил Чистильщика?

— Полагаю, что да.

— Но зачем?

Майор пожал плечами.

— Думаю, у людей, на которых работает теперь ваш Никита, были свои резоны избавиться от Чистильщика. Он, как говорится, слишком много знал. Надобность в его услугах отпала. И поэтому поступил приказ о его устранении.

В этот момент Таракан многозначительно кашлянул. Все взглянули на него, но так как генерал ничего не прибавил, то вскоре все снова переключились на майора.

— А Гермес?

— Кто в него стрелял? Товарищ следователь, неужели вы и это тоже знаете?

Но следователь не успел ответить.

— Гермес? — спросил Эдик. — Кто это такой?

— Брат Дины, — ответила Леся. — В воскресенье у него появилась недобрая мысль позвонить по номеру Салима, чтобы немного пощипать того, кого он считал убийцей своей сестры.

— Но телефон Салима был выключен, — произнес майор. — Гермес послал СМС-сообщение, в котором предлагал встретиться и обсудить смерть Дины. Это сообщение мы прочитали.

— Гермес задумал шантажировать Салима, которого подозревал в убийстве сестры.

— Но Салим-то был уже мертв.

— Еще бы! Его, беднягу, убили еще в субботу. Почти за сутки до того.

— Да, вот только Гермес этого не знал. Его никто не потрудился поставить в известность об убийстве Салима. А от своей матери помимо номера телефона Гермес получил адрес дома, куда отправилась его сестра, впоследствии найденная мертвой. Гермес хотел стрясти деньги с хозяина дома, которого подозревал в убийстве сестры, то есть с Салима.

— И что было дальше с этим парнем? Салима-то он увидеть уже не мог.

— Не мог. Зато он увидел кое-кого другого. И скажу сразу, в Гермеса тоже стреляли, правда, он остался жив.

— Но кто? — удивился Лисица. — Чистильщик был к этому времени тоже уже мертв. Его прикончили еще в субботу вечером. А Гермес этот ваш отправился на дело в воскресенье.

— Правильно. В Гермеса стрелял Никита.

Лисица молчал. Он был явно поражен тем, что его коллега, пусть и бывший, был способен выстрелить в безоружного человека.

— Не так-то прост этот парень, — пробормотал он.

— А ведь и правда, — сказал Эдик, — в воскресенье мы с Лисицей вроде бы слышали наверху выстрелы.

— Да, и Никита к нам в тот день приходил.

— Приходил? — заинтересовались теперь уже все. — Зачем?

— Сотрудничество в очередной раз предлагал. Сказал, что Сверчок и Гвоздика не годятся, слишком неопытные и мало знают. А вот мы в самый раз.

И отвернувшись, Лисица пробормотал:

— Да много еще чего он нам говорил. Не хочу сейчас это все вспоминать. Гнусно это было.

— Но зачем Никита стрелял в Гермеса? Тот ведь даже не успел с Никитой ни о чем и поговорить. Только сказал, что пришел по поводу Дины.

— Никите было достаточно уже того, что в дом сунулся кто-то посторонний. Он избавился от Гермеса как от очередного свидетеля.

— А тетю Люду тоже он убил?

— Кого?

— Мать Гермеса и Дины.

Лисица переглянулся с Эдиком, и тот пожал плечами:

— Наверное.

Но тут неожиданно в разговор снова вмешался майор.

— Нет-нет, — заявил он. — Не будем возводить на парня лишнего. Людмилу Петровну убил не он.

— А кто? — удивились подруги.

— Виновный нами уже изобличен и находится под стражей. Смерть матери Дины на совести другого человека.

— Кого же?

— Зятя ее соседа.

— Дяди Володи?

— У этого дяди Володи есть дочь, а у дочери есть муж. Эта парочка спала и видела, как бы им завладеть всей квартирой, выжив прочь ненавистных соседей — Людмилу Петровну и ее детей. Когда Дина погибла, в числе первых, кто об этом узнал, был зять дяди Володи. А уж когда тесть сообщил ему, что и брат отправился следом за сестрой, восторгу этой парочки не было предела. Теперь им оставалось избавиться лишь от матери, и все, считай, дело в шляпе. Вся квартира достается им.

— Как — им? Почему им?

— Прямых наследников нет, завещания, как я понимаю, тоже. А как я выяснил, кроме дочери у дяди Володи есть еще жена, сын и несколько внуков.

— Надо же, — поразилась Анжела. — А я думала, что дядя Володя одинокий.

— Вовсе нет. И больше того, скажу, что вся эта веселая семейка: жена, дети и внуки — вместе с самим дядей Володей прописаны в одной комнате, стоят на очереди. Так что они все рассчитали правильно. Как очередникам им в первую очередь полагались освободившиеся комнаты соседей.

— Вот оно что. Так это зять вытолкнул Людмилу Петровну из окна?

— Сам он говорит, что не собирался ее убивать. Дескать, разговор у них стал слишком горячим. Она его толкнула, он ее толкнул. Еще, еще... Потом она ему сказала что-то такое, за что он ей хорошенько врезал по голове, старуха стала терять сознание и вылетела в открытое окно.

— Сама?

— Говорит, что сама. Лично я ему не верю. Но последнее слово за экспертами, которые сейчас работают. Посмотрим, что они скажут. Лично мне траектория падения жертвы из окна кухни кажется весьма подозрительной. Да и тот факт, что падала она уже без сознания, тоже говорит не в пользу зятя ее соседа.

— А дядя Володя ничего не сказал нам про зятя.

— Еще бы он стал такое выкладывать! — воскликнул майор. — Дядя Володя ваш хоть и пьяница, но далеко не дурак. И он специально показал вам на оторванный кусок обоев, чтобы увести след от убийства Людмилы Петровны в ложном направлении.

— Значит, дядя Володя знал, что тетю Люду из окна вытолкнул его родной зять? — подала голос Анжела.

И совсем сникла, услышав от майора:

— Да, это он знал. Не мог не знать!

После слов майора в гостиной какое-то время цари-ла тишина. Но затем разговор понемногу возобновил-ся. Люди потихоньку вновь вернулись к радостям пир-шества.

И Эдик первым напомнил подругам:

— Я удовлетворил ваше любопытство? Так что там с моими булочками?

— Да, можем мы наконец получить сладкое? — под-держал друга Лисица.

И хотя у подруг имелись еще кое-какие вопросы, но девушки решили, что это может и подождать. Они взя-ли в помощь Анжелу и Надю, чтобы очистить стол от основных блюд и выставить десерт. Так на столе появи-лись булочки с заварным кремом, густо обсыпанные са-харной пудрой, домашний рулет с маком, а также боль-шой покупной торт, который принесли мужчины. Торт был очень красивый, но как отметили подруги, он хотя и был безусловно хорош внешне, пользовался далеко не такой популярностью, как домашняя выпечка, сделан-ная руками хозяек.

Глава 18

Потихоньку вечер подходил к своему завершению. Весь праздник Анжела пользовалась особой популярно-стью у собравшихся офицеров, как единственная неза-мужняя дама. Но девушка, казалось, этому обилию по-клонников отнюдь не радовалась. С самого начала она выяснила у подруг, кто из офицеров женат, а после уже обращала на женатых кавалеров минимум внимания, лишь бы не показаться невежливой. Да и с теми двумя, что были еще холосты, Анжела тоже разговаривала ровно, без всякого намека на кокетство.

Леся даже не удержалась, заметила ей:

— Странно ты себя ведешь. Ты, у которой всегда толпы поклонников, и вдруг не стараешься подцепить себе еще парочку дополнительных?

— Сама себе удивляюсь, — призналась ей Анжела. — Но с тех пор, как погибла Дина, во мне что-то изменилось. Все эти дни я очень много думала о том, как я живу. И внезапно поняла, что живу неправильно.

— Почему?

— Занимаюсь не тем, чем всегда хотела. Ну и что, что мне за это платят? Деньги — это ведь не главное.

— А что же главное?

— Главное, чтобы дело тебе нравилось, чтобы душа у тебя к нему лежала. И мужчины... Тут я тоже неправильно себя вела.

— Тут-то чего? Мужчин у тебя в избытке.

— Да ведь для счастья много мужчин как раз и не нужно. Для счастья нужен всего лишь один, но... свой.

Тем не менее, когда Анжела собралась уходить, один из офицеров, Алексей, который крутился возле нее весь вечер, вызвался проводить ее до дому.

— Смотрите, мне ведь далеко ехать, — предупредила его Анжела.

Но Алексей не смутился.

— Я знаю. Пару раз я уже был возле вашего дома.

— Были? Это когда же?

— В то утро, когда вы выкинули из окна жучок с пиджака Лисицы. И чуть позднее, когда мы с коллегами пытались найти свидетелей, которые бы могли подсказать нам, куда делись наши друзья. Почему их жучок тут есть, а вот самих ребят нету.

Это заставило Анжелу повнимательнее взглянуть на Алексея, вроде как не совсем чужой, уже два раза возле ее дома побывал. И дальше она отказывалась от его эскорта уже не так активно.

До дверей их проводили Кира с Лесей, украдкой пожелав Анжеле удачи и не теряться. Также этих гостей вышли проводить и кошки. Фантик с Фатимой долго и внимательно смотрели на эту пару, а потом неожиданно подошли и потерлись об их ноги. Фантик терся об Анжелу, а Фатима об Алексея. Ласка со стороны кошек к посторонним вещь редкая.

— Ого, они нас отметили, — засмеялась Анжела.

— Думаю, что это может значить для вас что-то хорошее.

Про себя подруги искренне надеялись, что так оно и будет. Несмотря на свою бурную личную жизнь, Анжела им нравилась. Было в ней что-то такое цельное и порядочное, что язык не поворачивался назвать ее дурным словом. Почему-то подругам казалось, что если Анжела найдет мужчину, которому сможет полностью доверять, то она никогда его уже не обманет и не предаст.

Когда основная масса гостей ушла и с друзьями остались только их самые близкие, дорогие и любимые, Леся с Кирой снова подсели поближе к своим мужчинам.

Лисица покосился на жену, закинул в рот булочку и поинтересовался:

— Допрос продолжается?

— Да, нас еще кое-что интересует.

— Что именно?

— А ты ответишь?

— Если смогу, конечно, отвечу.

— Тогда расскажи про перстень...

Кира не успела договорить, она почувствовала, как ее муж напрягся.

— Какой перстень? — переспросил он, хотя Кира готова была поклясться, что он с первого раза отлично понял, о каком перстне идет речь.

Тем не менее она пояснила:

— Перстень, который носил Чистильщик и который после его смерти пропал вместе с пальцем.

— И что?

Голос Лисицы звучал теперь и вовсе сдавленно. Формулируя свой вопрос, Кира никак не думала, что он может вызвать у мужа такое сильное смятение. Почему он так разволновался? С чего?

Но отступать было поздно. И она продолжила:

— Майор сказал, что Чистильщика убил Никита.

— Это его предположение.

— Но оно очень похоже на правду. Никаких других претендентов на роль убийцы Чистильщика нет.

— Почему же нет? — пробормотал Лисица. — Гвоздика мог. Или Сверчок.

— Я видела Гвоздику и Сверчка, ни один из них не подходит под данное свидетелями описание — светловолосый и носастый — это не про них. А вот Никите это описание подходит.

— Так зачем Никите понадобился этот перстень? — заинтересовалась и Леся. — Что убил Чистильщика — это ладно. Но зачем он забрал перстень у убитого им преступника?

Лисица не ответил. Вместо этого он кинул в сторону генерала быстрый взгляд. Таракан вместе с тетей Наташей еще оставался у друзей. Эти двое медлили уходить, желая еще что-то добавить к уже сказанному ребятами.

Внезапно старый генерал кашлянул. Все замолкли и вопросительно посмотрели на него.

И на этот раз генерал не обманул их ожиданий.

— Я рассказывал вам, что Никита — племянник моего старого друга. Но вы никогда не спрашивали у меня, почему за Никиту хлопотал его дядя, а не родной отец юноши.

— А в самом деле? Почему?

— А не сделал он этого потому, что погиб, выполняя задание по задержанию опасного преступника. К сожалению, преступнику удалось уйти. Он ушел, вспоров живот офицеру, отчего тот и скончался в сильных муках.

И помолчав, генерал добавил:

— А тот перстень, о котором вы спрашивали, был снят с руки погибшего офицера человеком, который его убил.

— Так это был Чистильщик?

— Да. Это была его работа.

— Хотите сказать, это Чистильщик убил родного отца Никиты?

— Да.

Теперь подругам стали понятны мотивы, которые двигали Никитой. В убийстве Чистильщика у него был свой собственный личный интерес. И то зверское надругательство над трупом убитого тоже обрело смысл. Также они поняли, почему Никита не побрезговал отрезать палец Чистильщика. Вросший в мясо преступника перстень отца иначе было просто невозможно снять. А Никите было крайне важно, чтобы перстень отца вернулся к своему законному наследнику.

— Ну, раз мы с вами обо всем поговорили, мы пойдем.

И старый генерал с женой стали собираться домой. Пока старики копошились, Кира молча наблюдала за их сборами. Но ей упорно не давала покоя еще одна мысль, которую она и высказала Таракану:

— Но если Никита был на стороне наших противников, — произнесла Кира, — то зачем он помог найти дом, арендованный Чистильщиком? Зачем помог спасти Эдика и Лисицу?

Леся тоже проявила заинтересованность.

— Да, — воскликнула она, — в самом деле, это ведь под руководством Никиты ваши ребята нашли дом, в котором держали Эдика и Лисицу! Пусть к приезду полиции их там не оказалось, но зато нашлись следы, которые в итоге и привели вас к ним!

— Без Никиты ничего бы не получилось.

— Так зачем Никита помог спасти Эдика и Лисицу? Зачем активно помогал, если должен был вредить? Это как-то нелогично.

Таракан снова опустился в кресло.

— Я так и думал, что вы догадаетесь. Что ж, Никита и впрямь помог нам найти этот дом. Но кто знает, что это сделал именно он?

— Мы знаем. Ваши сотрудники знают. Майор знает.

— Все эти люди не в счет. Никто из них не имеет выхода на тех людей, с которыми сейчас сотрудничает Никита.

— Я не понимаю... — пробормотала Кира. — Так предатель Никита или все же друг?

— Ведь он проследил за тем, чтобы в доме нашлось достаточно следов, которые и привели нас к Эдику и Лисице, — добавила Леся.

— И даже более того, он специально предложил перепрятать обоих пленников в свой дом. И сделал это исключительно с той целью, чтобы тем самым приблизить развязку и разорвать все прежние свои связи.

— Какую развязку?

— Сейчас я скажу вам вещь, про которую вы сразу же забудете. Договорились?

— Да.

Конечно, договорились. Что другое могли сказать сейчас подруги?

— Так вот, истинная цель Никиты и нас всех заключалась в том, что Никите нужно было стать своим у тех людей, которые сейчас приняли его. И он стал у них своим!

Подруги смотрели на генерала, не совсем понимая, что он хочет сказать.

— Нужно было, чтобы те люди, чья деятельность нас интересует, поверили Никите безоговорочно. Поверили в его преданность им. И они ему поверили.

Постепенно до подруг стало доходить.

А Таракан продолжал:

— Но, к сожалению, мы все же заплатили за наш успех дорогую цену. Нам пришлось пожертвовать тремя нашими людьми, чтобы у противника не возникло сомнений в том, что игра идет всерьез. И главное, чтобы они поверили в то, что Никита с ними, он их со всеми потрохами. Но на самом деле судить надо не по словам и даже не по сиюминутным чьим-либо делам, а по итогам всей операции.

— Узнайте дерево по плодам его? — задумчиво произнесла Леся. — Это как в Библии, да?

Но Таракан уже снова поднялся со своего места.

— Пора мне, — произнес он. — Стар я стал, чтобы в гостях засиживаться да про всякую заумь рассуждать. Вы — молодые, вам и жить, вам и действовать. А я уже стар, мое место у печки. Думаю, это была последняя операция, которой я руководил. Рад, что она завершилась как и задумывалась изначально, но давайте уже поставим на этом точку и больше не будем возвращаться к этому делу.

И несмотря на уговоры друзей остаться, генерал взял под руку свою жену и отправился с тетей Наташей к себе домой.

Теперь друзья смогли говорить уже совсем свободно.

— Никита не предатель, — сказал Лисица, глядя на подруг. — И я прошу вас, девочки, не считайте его таковым.

— Так вы тоже знали про их с Тараканом план?

— Никита намекнул нам, когда приходил в темницу. Он также обещал, что попытается выручить нас, хотя это и может означать провал.

— Но очень уж, сказал он, ваши жены убиваются.

— Так что, считайте, нас спасли вы.

— Но это все должно остаться между нами, — добавил Эдик, вновь став серьезным. — Все было сделано для того, чтобы те, к кому сейчас примкнул Никита, считали его своим. Теперь мы будем лучше осведомлены об их планах.

— И когда игра начнется по-крупному, несколько пожертвованных нами пешек сослужат нам хорошую службу.

Несколько пешек? Подруги взглянули на Лисицу с недоумением. Это он про тех троих, кого убили в самом начале? И про Салима? И про других?

Кира внимательно присмотрелась к своему мужу. Как же он изменился за последнее время. Лицо у Лисицы, и прежде худое, теперь сделалось и вовсе как у аскета. Глаза у Лисицы, прежде безмятежные и веселые, теперь смотрели жестко, иногда даже слишком жестоко. И Кира поежилась. В кого превратился ее любимый муж?

И как она могла не замечать перемен, произошедших в Лисице? Или это последние дни, плен и угроза смерти, висевшая над ним, помогли его чертам характера выкристаллизоваться и сделаться ярче, проступить наружу?

Нет, не позавидуешь тому, кто вздумает встать между Лисицей и его целью. И на какое-то мгновение Кире даже стало жаль тех неизвестных ей людей, кто осмелится на такое. Но на место жалости тут же пришел восторг и упоение от мысли, что Лисица-то ведь не на чужой, он на их стороне. И значит, все у них хорошо, а будет еще лучше.

И еще Кира подумала, что несправедливо упрекать мужа в излишней жестокости. Ведь будучи готов пожертвовать чужими жизнями, он точно так же был готов для общего дела отдать и свою собственную жизнь. Это ли не есть проявление истинного патриотизма? Не может быть для мужчины ничего выше, чем смерть за тех, кого любишь, за свой край, за свою землю. За все то, за что стоит бороться и ради чего стоит жить, а если понадобится, то и умереть.

И прижавшись к своему мужу, Кира отчетливо поняла: если понадобится, она сама отправит его на войну и даже на смерть. Потому что пусть лучше муж будет для нее мертвым героем, чем живым жалким и трусливым предателем. Род героя будет жить, он обязательно продолжится в его сильных и здоровых потомках. А вот род предателя неизбежно обречен на забвение и тлен.

Пролог

— Я ничего не вижу.

— Осторожно, здесь ступенька...

— Куда мы идем?

— Сейчас увидишь.

— «А каково сказать «прощай навек» живому человеку, ведь это хуже, чем похоронить».

— Слова из твоей роли?

— Да. Сегодня на репетиции я их забыла.

— Скажи еще что-нибудь.

— Вот, например... «Вижу я, входит девушка, становится поодаль, в лице ни кровинки, глаза горят. Уставилась на жениха, вся дрожит, точно помешанная. Потом, гляжу, стала она креститься, а слезы в три ручья полились. Жалко мне ее стало, подошла я к ней, чтобы разговорить да увести поскорее. И сама-то плачу...» Здесь очень темно!

— «Здесь очень темно» — отсебятина.

— Нет, правда, я ничего не вижу... У меня в сумочке спички.

— Не надо спичек. Дай руку.

— Уже пришли?

— Дай руку!

— Вот она... Как смешно. Я правда не вижу куда...

— Это дверь.

— Где?

— Здесь. Дай мне руку, я тебя проведу.

— Ой!

— Что?

— Споткнулась.

— Осторожней, еще немного... Видишь, это уже я.

— Пожалуйста...

— Что?

— Руку больно!

— Тише...

— Мне больно!

— Зачем так кричать?

— Ма-а-ама-а-а!

— Ти-и-ише...

В темноте прозвучал коротенький вздох, зажглась спичка, и вдруг что-то хрястнуло, как будто раскололся большой арбуз.

— Вот и все. Как там по роли? Прощай навек?.. Ну так прощай.

Глава 1
ОТПУСК В ЖЕЛЕЗНОБОРСКЕ

В день, когда Дайнека получила университетский диплом, она купила билет и вечером улетела. По прибытии в Красноярск взяла такси и в половине шестого уже была у матери.

— Вот! — Она протянула диплом.

Людмила Николаевна сонно прищурилась, потом обняла дочь.

— Поздравляю!

Дайнека спохватилась:

— Прости, что так рано.

— Ничего, — Людмила Николаевна показала на дорожную сумку. — За нами скоро приедут.

Дайнека опустилась на стул.

— Кто?...

— Такси.

— Зачем?

— Мы едем в гости к моей школьной подруге. У нее свой дом на берегу Железноборского озера. Она давно меня приглашала, но я не решалась. Что ни говори, инвалид-колясочник — обуза для непривычного человека. С тобой будет проще. Так что вещи не разбирай. Надежда заказала для нас пропуска. Железноборск — город режимный.

Людмила Николаевна подъехала к зеркалу, развязала платок, стала снимать бигуди и складывать себе на колени. Дайнека глядела на нее и думала, что мать по-прежнему живет своими желаниями и ни с кем не собирается их согласовывать. Вздохнув, она взяла сумку и отнесла к выходу, убеждая себя в том, что приехала, чтобы побыть с матерью, а где — особого значения не имеет.

Про Железноборск Дайнека знала лишь то, что он находится в шестидесяти километрах от Красноярска. С одной стороны город окружен лесистыми сопками, с другой — болотами и лугами, которые протянулись до самого Енисея. Однажды ей пришлось там побывать, но визит имел быстротечный и экстраординарный характер[1].

Секретный город Железноборск поддерживал оборонную мощь страны и был отрезан от мира тремя рядами колючей проволоки. Выехать из него можно было свободно, а вот заехать — только по специальному разрешению.

---

[1] Подробнее читайте об этом в романе Анны Князевой «Подвеска Кончиты».

За час они с матерью добрались до Железноборского КПП[1], предъявили паспорта и прошли через механический турникет. То есть Дайнека прошла, а Людмила Николаевна проехала в инвалидной коляске. На той стороне «границы» их ожидала другая машина, поскольку чужие автомобили, в том числе такси, в город не пропускали.

По дороге мать рассказала, что Надежда Кораблева, ее подруга, никогда не была замужем и осталась бездетной. Их общее детство казалось ей самой счастливой порой жизни. Теперь подругам предстояли долгие разговоры о том золотом времени. И хотя относительно прошлого Людмила Николаевна придерживалась иной точки зрения, она не отказалась провести небольшой отпуск на берегу красивого озера.

Дом, возле которого остановилось такси, выглядел основательно: два каменных этажа с цоколем. Вокруг — обширный участок с маленьким огородом. Плодовые деревья, баня, малинник...

Выбравшись из машины, Людмила Николаевна пересела в коляску. С крыльца сбежала статная дородная женщина и кинулась обниматься:

— Людочка... Мы уже заждались!

— Здравствуй, Надя. Это моя дочь! — По лицу матери было видно, что она гордится Дайнекой.

Из дома вышла мать Надежды, Мария Егоровна, кругленькая старушка с «перманентом» и вставными зубами. Она с трудом спустилась по лестнице, притронулась к пояснице и пожаловалась:

— Совсем замучил радикулит. Ни согнуться, ни разогнуться... Здравствуй, Люда. Какая у тебя взрослая дочь!

---

[1] Контрольно-пропускной пункт.

Людмила Николаевна похвасталась:

— Вчера получила университетский диплом!

Осмотрев дом и определившись, где они будут жить, Дайнека провезла мать по участку. Надежда с увлечением рассказывала про свои садовые достижения:

— Здесь у меня розы. Все удивляются, говорят, в Сибири они не растут. Растут! Да еще как!

— А это что? — Людмила Николаевна показала на тонкое деревце.

— Вишня.

— Неужели плодоносит? — из вежливости спросила Дайнека.

— Осенью полведра соберу!

Дайнека потрогала тоненький ствол, удивляясь, как этот прутик сможет произвести полведра вишни.

— Надя! Надя! — позвала из окна Мария Егоровна. — Хватит уже! Идите обедать!

За столом старуха не умолкала ни на минуту. Она сообщила, что сейчас находится на больничном, но вообще-то до сих пор работает костюмершей в городском Доме культуры. А муж ее, Витольд Николаевич, лечится в санатории. И не преминула добавить: в прошлом он работал на высокой должности в Комитете госбезопасности.

После обеда мать легла отдохнуть, а Дайнека отправилась к озеру. В холодной воде еще никто не купался, но загорающих на пляже было полно. Она скинула платье и зашла в озеро по грудь, потом оттолкнулась и поплыла. Солнце слегка нагрело поверхность, но в глубине, куда все время попадали коленки, был ледяной холод. Проплыв метров тридцать, Дайнека развернулась и направилась к берегу. Увлеченные примером, там, по колено в воде, уже стояли несколько человек.

Она ступила на берег, прошлась по песку и ощутила всю прелесть предстоящего отдыха. Нежданно-негаданно Дайнека получила то, о чем мечтала давно: тихий отпуск вдали от шумного города.

Чуть обсохнув, она подняла платье и, стряхнув песок, натянула его на себя. На противоположном берегу озера тоже был пляж, за ним — парк, еще дальше стояли многоэтажные жилые дома. Дайнека добралась до автобусной остановки и села в первый подошедший автобус. Через пятнадцать минут сошла в центре города. Впрочем, Железноборск был так мал, что его целиком можно было называть одним центром или одной окраиной, кому как понравится.

На центральной площади стоял памятник Ленину и располагался городской Дом культуры с шестью колоннами и внушительным портиком. За ним виднелись лесистые сопки и тайга — на тысячи километров.

По главной улице Дайнека дошла до парка, который соорудили из куска дикой тайги. Вековые сосны соседствовали здесь с прямыми аллеями, цветочными клумбами и гипсовыми спортсменами. Ей достаточно было совсем немного прогуляться по тропке среди деревьев, чтобы захотеть вернуться сюда с матерью. После этого Дайнека снова села в автобус и вернулась к дому Надежды. Во дворе она столкнулась с Марией Егоровной. Ее лицо казалось заплаканным и немного опухшим.

Дайнека встревожилась:

— Что-нибудь с мамой?

— С ней все в порядке, — вздохнув, склонила голову старуха. — А вот меня увольняют с работы.

— За что?

Из дому вышла Надежда, поставила на скамейку тазик с бельем и сообщила:

— В костюмерном цехе проходит инвентаризация. В Доме культуры начинают ремонт. Костюмеров всего двое. Сегодня позвонила начальница: или выходи, или увольняйся. А как она выйдет с радикулитом?..

Дайнека, не раздумывая, сказала:

— Есть один вариант.

— Какой? — поинтересовалась Надежда.

— Кем-нибудь заменить.

— Некем! — Старуха насухо вытерла слезы. — Видно, и вправду увольняться пора. — Она уронила руки. — Но как же я без работы...

— Возьмешь лейку и пойдешь поливать огурцы, как все нормальные бабки, — сказала дочь.

— У всех нормальных бабок есть внуки. — Мария Егоровна отвернулась, словно опасаясь нарваться на неприятности, но все же добавила: — И даже правнуки. А у меня никого нет.

— Ну вот что! — вмешалась Дайнека. — Я могу пойти вместо вас.

— Куда? — не поняла Мария Егоровна.

— На вашу работу.

— Да ты, наверное, иголки в руках не держала.

— Держала. — На крыльцо выкатилась в коляске Дайнекина мать. — Я сама ее шить научила.

Мария Егоровна растерянно взглянула на дочь.

— А что, — промолвила Надя. — Это хороший выход.

Глава 2
КОСТЮМЕРША

Следующим утром Дайнека вышла из дому и уверенно направилась к автобусной остановке. В сумочке у нее лежал пластмассовый контейнер с обедом, который приготовила Мария Егоровна, и серый халат, без которого, по уверениям старухи, работать было нельзя. Автобус вновь обогнул озеро и доставил ее к городскому Дому культуры.

У служебного входа стояла женщина с высокой старомодной прической. По серому халату Дайнека узнала в ней коллегу по цеху.

— Валентина Михайловна?

Женщина свела к переносице белесые бровки.

— Людмила Дайнека?

— Я, — кивнула она.

— Сколько тебе лет?

— Двадцать два.

Валентина Михайловна сказала вахтеру:

— Иван Васильевич, девушка — со мной. Пропустите.

Старик что-то записал в огромный журнал.

Вслед за начальницей Дайнека поднялась по мраморной лестнице. Из нарядного кулуара с окрашенными под малахит колоннами они свернули в коридор. Потом двинулись какими-то переходами, спускались и поднимались по узким лестницам, открывали тяжелые противопожарные двери и наконец оказались за сценой, где располагалось хранилище костюмерного цеха.

Валентина Михайловна отомкнула висячий замок на двустворчатой металлической двери, вынула его из проушин и зашла внутрь.

Сунув туда нос, Дайнека ощутила волнующий запах. Позже она узнала: так пахнут грим, пыльные ткани, вощеная краска с папье-маше и старая обувь, в которой танцевала не одна пара ног. Но в тот, первый момент ей показалось, что так пахнет тайна.

Большую часть хранилища занимали двухэтажные вешала, полностью заполненные сценическими костюмами. У окна стоял письменный стол. Все остальное пространство заполнили фанерные сундуки и деревянные ящики.

Валентина Михайловна критически оглядела Дайнеку и спросила:

— Халат у тебя есть?

Девушка скинула курточку, достала халат и быстро его надела.

— Будешь разбирать сундуки с реквизитом и обувью и записывать инвентарные номера. Работы много. Не вовремя заболела Мария Егоровна. — Начальница села за письменный стол. — Вот инвентаризационная ведомость. Здесь пишешь наименование, в этой графе — номер.

— А где все это взять? — поинтересовалась Дайнека.

Валентина Михайловна подняла глаза и выразительно помолчала. Потом обронила:

— Все в сундуках. — Она встала, подошла к ящику и ткнула пальцем в черную надпись. — Номер. Записываешь его в самом верху. — Со стуком откинула крышку и достала из ящика пару черных сапог. Показала подошвы. — Видишь цифры? Это инвентарный номер, вносишь в графу.

— Наименование там же искать?

— Зачем? — не поняла Валентина Михайловна.

— Чтоб записать...

Начальница устало вздохнула и, выставив перед собой сапоги, задала наводящий вопрос:

— Что это?

— Сапоги, — уверенно ответила Дайнека.

— Какого они цвета?

— Черного!

Валентина Михайловна взяла шариковую ручку и, проговаривая каждое слово, записала в инвентаризационной ведомости:

— Сапоги черные... Инвентарный номер сорок два, тире, двадцать три, сорок четыре.

— Все поняла! — Дайнека с готовностью потянулась к ящику. — С этого начинать?

— С этого, — сказала Валентина Михайловна. — По одной вещи выкладываешь и пишешь, потом все аккуратно возвращаешь на место.

Приступив к работе, Дайнека поняла, что Валентина Михайловна — жуткая аккуратистка. Все предметы и обувь лежали в ящике идеально, и у нее не было уверенности, что, записав инвентарные номера, она сможет восстановить этот идеальный порядок.

Тем не менее до конца рабочего дня ей удалось перебрать целых три ящика и не получить ни одного замечания. Немного понаблюдав за Дайнекой, Валентина Михайловна успокоилась и больше не подходила.

В половине шестого, когда до конца рабочего дня осталось тридцать минут, Дайнека открыла большой фанерный сундук. В нем хранился сценический реквизит: жареный поросенок, яблоки, груши и огромный пирог, все — из папье-маше. Еще был кокошник с фальшивыми изумрудами, покрывало из старинного гобелена, резиновый виноград и ваза с вылинявшими поролоновыми цветами.

Под картиной в бронзовой раме Дайнека заметила уголок красного кожзаменителя. Заинтересовавшись, потянула его на себя и вытащила из ящика старомодную сумку. Оглядев ее, сообщила:

— Валентина Михайловна, на ней нет инвентарного номера.

— Дай, — костюмерша взяла сумку, покрутила, потом сказала: — Пиши: сумка женская, «б» и «н».

— Что это значит?

— Без номера.

— А можно в нее заглянуть?

— Зачем тебе?

— Так...

— Ну, если так, загляни.

Дайнека расщелкнула замочек.

— Здесь деньги...

— Ну-ка! — Валентина Михайловна снова взяла сумочку и вынула десять рублей. — Надо же... Старый червонец. Ты, наверное, и не помнишь таких. А это что? — Она сунула руку в матерчатый карман и вытащила темно-красную книжечку. — Паспорт старого образца.

Дайнека придвинулась:

— Чей?

Начальница открыла паспорт и прочитала:

— Свиридова Елена Сергеевна, тысяча девятьсот шестьдесят седьмого года рождения.

Они стали разглядывать фотографию. На ней была хорошенькая блондинка с заколотыми наверх волосами. На вид — не больше семнадцати.

— Как он здесь оказался?

— Не знаю. Наверное, артистка из художественной самодеятельности положила, а потом забыла. Только что-то я не помню такой... — Валентина Михайловна порылась в сумочке, достала спичечный коробок, смятый платок и губную помаду фабрики «Рассвет».

— У меня в молодости такая была. Странно... Давай проверим прописку. — Она полистала паспорт. — Улица Ленина, дом восемнадцать, квартира тридцать четыре. Наша, городская, нужно бы занести...

Дайнека вернулась к ящику, но Валентина Михайловна посмотрела на часы и сказала:

— Можешь идти домой.

Дайнека засомневалась.

— До конца рабочего дня пятнадцать минут...

— Ну и что?

— Вам надо помочь...

— Завтра поможешь. — Костюмерша протянула ей паспорт. — А сейчас иди по этому адресу и отдай. Все-таки документ.

Дайнека взяла паспорт, сняла халат и вышла из костюмерной. Пройдя мимо запасника, где хранились ненужные декорации, спустилась по лестнице и направилась к служебному выходу.

Она вышла через служебную дверь, свернула налево, по диагонали пересекла площадь и оказалась у «сталинки» под номером двадцать четыре.

Восемнадцатый был в двух шагах...

Литературно-художественное издание

ДЕТЕКТИВ-ПРИКЛЮЧЕНИЕ Д. КАЛИНИНОЙ

Калинина Дарья Александровна

ВИТЯЗЬ БЕЗ ШКУРЫ

Ответственный редактор *О. Бабкова*
Редактор *Т. Другова*
Художественный редактор *С. Прохорова*
Технический редактор *И. Гришина*
Компьютерная верстка *М. Маврина*
Корректор *Б. Бурт*

ООО «Издательство «Э»
123308, Москва, ул. Зорге, д. 1. Тел. 8 (495) 411-66-86; 8 (495) 956-39-21.

Өндіруші: «Э» АҚБ Баспасы, 123308, Мәскеу, Ресей, Зорге көшесі, 1 үй.
Тел. 8 (495) 411-68-86; 8 (495) 956-39-21.
Тауар белгісі: «Э»
Қазақстан Республикасында дистрибьютор және өнім бойынша арыз-талаптарды қабылдаушының
өкілі «РДЦ-Алматы» ЖШС, Алматы қ., Домбровский көш., 3«а», литер Б, офис 1.
Тел.: 8 (727) 251-59-89/90/91/92, факс: 8 (727) 251 58 12 вн. 107.
Өнімнің жарамдылық мерзімі шектелмеген.
Сертификация туралы ақпарат сайтта Өндіруші «Э»

Сведения о подтверждении соответствия издания согласно законодательству РФ
о техническом регулировании можно получить на сайте Издательства «Э»

Өндірген мемлекет: Ресей
Сертификация қарастырылмаған

Подписано в печать 11.09.2015. Формат 84x108 $^1/_{32}$.
Гарнитура Newton. Печать офсетная. Усл. печ. л. 16,8.
Тираж 1500 экз. Заказ № 1064.

Отпечатано в ОАО «Можайский полиграфический комбинат».
143200, г. Можайск, ул. Мира, 93.
www.oaompk.ru, www.оаомпк.рф тел.: (495) 745-84-28, (49638) 20-685

ИНТЕРНЕТ-МАГАЗИН
ИНТЕРНЕТ-МАГАЗИН
ИНТЕРНЕТ-МАГАЗИН
ИНТЕРНЕТ-МАГАЗИН

ISBN 978-5-699-83774-8

16+

9 785699 837748 >

ООО «Издательство «Э»
123308, Москва, ул. Зорге, д. 1. Тел. 8 (495) 411-66-86; 8 (495) 956-39-21.

Өндіруші: «Э» АҚБ Баспасы, 123308, Мәскеу, Ресей, Зорге көшесі, 1 үй.
Тел. 8 (495) 411-68-86; 8 (495) 956-39-21.
Тауар белгісі: «Э»
Қазақстан Республикасында дистрибьютор және өнім бойынша арыз-талаптарды қабылдаушының
өкілі «РДЦ-Алматы» ЖШС, Алматы қ., Домбровский көш., 3«а», литер Б, офис 1.
Тел.: 8 (727) 251-59-89/90/91/92, факс: 8 (727) 251-58-12 вн. 107.
Өнімнің жарамдылық мерзімі шектелмеген.
Сертификация туралы ақпарат сайтта Өндіруші «Э»

Оптовая торговля книгами Издательства «Э»:
142700, Московская обл., Ленинский р-н, г. Видное,
Белокаменное ш., д. 1, многоканальный тел.: 411-50-74.

**По вопросам приобретения книг Издательства «Э» зарубежными оптовыми
покупателями обращаться в отдел зарубежных продаж**
*International Sales: International wholesale customers should contact
Foreign Sales Department for their orders.*

**По вопросам заказа книг корпоративным клиентам, в том числе в специальном
оформлении,** *обращаться по тел.: +7 (495) 411-68-59, доб. 2115/2117/2118; 411-68-99, доб. 2762/1234.*

**Оптовая торговля бумажно-беловыми
и канцелярскими товарами для школы и офиса:**
142702, Московская обл., Ленинский р-н, г. Видное-2,
Белокаменное ш., д. 1, а/я 5. Тел./факс: +7 (495) 745-28-87 (многоканальный).

Полный ассортимент книг издательства для оптовых покупателей:
В Санкт-Петербурге: ООО СЗКО, пр-т Обуховской Обороны, д. 84Е. Тел.: (812) 365-46-03/04.
В Нижнем Новгороде: 603094, г. Нижний Новгород, ул. Карпинского, д. 29,
бизнес-парк «Грин Плаза». Тел.: (831) 216-15-91 (92/93/94).
В Ростове-на-Дону: ООО «РДЦ-Ростов», пр. Стачки, 243А. Тел.: (863) 220-19-34.
В Самаре: ООО «РДЦ-Самара», пр-т Кирова, д. 75/1, литера «Е». Тел.: (846) 269-66-70.
В Екатеринбурге: ООО«РДЦ-Екатеринбург», ул. Прибалтийская, д. 24а.
Тел.: +7 (343) 272-72-01/02/03/04/05/06/07/08.
В Новосибирске: ООО «РДЦ-Новосибирск», Комбинатский пер., д. 3. Тел.: +7 (383) 289-91-42.
В Киеве: ООО «Форс Украина», г. Киев,пр. Московский, 9 БЦ «Форум». Тел.: +38-044-2909944.

**Полный ассортимент продукции Издательства «Э»
можно приобрести в магазинах «Новый книжный» и «Читай-город».**
Телефон единой справочной: 8 (800) 444-8-444. Звонок по России бесплатный.

В Санкт-Петербурге: в магазине «Парк Культуры и Чтения БУКВОЕД», Невский пр-т, д.46.
Тел.: +7(812)601-0-601, www.bookvoed.ru/

Розничная продажа книг с доставкой по всему миру. Тел.: +7 (495) 745-89-14.

Сведения о подтверждении соответствия издания согласно законодательству РФ
о техническом регулировании можно получить на сайте Издательства «Э»

Өндірген мемлекет: Ресей
Сертификация қарастырылмаған